Yoga en casa

MARK ANSARI
Y LIZ LARK

MENS SANA

Yoga en casa

Título original: *Yoga for Beginners*

Tercera edición: mayo 2003

Traducido del original de Carroll & Brown Limited
20 Lonsdale Road, Queen's Park, Londres NW6 6RD

Copyright del texto © Liz Lark y Mark Ansari 2000

Copyright de las ilustraciones y la compilación © Carroll & Brown Limited 2000

Mens Sana es una marca registrada de Parramón Ediciones, S. A.

Copyright © para la edición española Parramón Ediciones, S. A. 2001
Ronda Sant Pere, 5, 4ª planta
08010 Barcelona (España)

Traducción: Victor Lorenzo

ISBN: 84-342-3022-4

Depósito Legal: B-18.659 - 2003

Impreso y encuadernado por Bookprint, S.L., Barcelona

Advertencia:
Los autores y los editores no se responsabilizan de ninguna lesión o daño producidos como consecuencia directa o indirecta del uso de los ejercicios y recomendaciones que se ofrecen en este libro. Ante cualquier problema de salud consulte a su médico.

PRÓLOGO

*El yoga nos enseña a relajarnos físicamente, a concentrar nuestra mente y
a contemplar nuestros problemas con perspectiva. También ayuda a contrarrestar
las presiones y tensiones del mundo moderno, con lo que constituye el antídoto
perfecto para el ritmo rápidamente cambiante de nuestra ajetreada vida.*

El yoga nos permite conseguir la armonía entre
el cuerpo y la mente. La práctica de las posturas
(conocidas como *asanas*) y los ejercicios de
respiración (*pranayama*) depuran el cuerpo,
recuperan la energía y nos hacen más fuertes y
flexibles. También nos lleva a alcanzar un equilibrio
emocional, dejándonos mejor preparados para
afrontar las exigencias de nuestros respectivos
estilos de vida.

Yoga en casa es una guía práctica diseñada
para presentar de un modo seguro y accesible
las posturas básicas, las técnicas de respiración
y otras prácticas del yoga. No es necesario poseer
experiencia previa alguna sobre yoga: las
instrucciones son fáciles de seguir,
por lo que esta guía es

adecuada para principiantes o para cualquiera que
desee complementar su práctica del yoga en casa.
El libro incluye dos series de ejercicios. En cuanto
conozca a fondo las posturas y técnicas de
la sesión para principiantes podrá pasar a la
sesión avanzada.

Hemos descubierto que el yoga ha mejorado
notablemente nuestras vidas, no sólo modificando
nuestros cuerpos, sino también abriendo las puertas
a un emocionante viaje de descubrimiento de
nuestro propio ser. Esperamos que nuestro libro le
permita también a usted notar los beneficios de los
estiramientos, movimientos y respiración sin trabas a
medida que libera las tensiones acumuladas,
aprende a relajarse y, en definitiva, saca un mayor
provecho de su vida cotidiana. ¡Disfrútelo!

MARK ANSARI Y LIZ LARK

Sumario

Preparación para la práctica

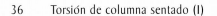

Sesión para principiantes

Sesión avanzada

Yoga: un estilo de vida

PREPARACIÓN PARA LA PRÁCTICA

La palabra yoga proviene de la raíz sánscrita yuj, *que significa «yugo o unión».
El objetivo de esta antigua práctica oriental es crear la unidad entre uno mismo
y el mundo exterior, así como solucionar los desajustes internos con el fin
de ayudarnos a alcanzar todo nuestro potencial.*

La práctica regular del yoga crea armonía entre la mente y el cuerpo. Esto calma el desorden de nuestros pensamientos, como si detuviera las ondas que se forman sobre un lago, de modo que percibimos mejor nuestra conexión con el mundo que nos rodea.

HATHA YOGA Existen muchas modalidades de yoga, aunque la más conocida en Occidente es el hatha yoga, que se traduce literalmente del sánscrito como «unión a través del esfuerzo voluntario». El hatha yoga utiliza la disciplina física de las posturas de equilibrio y las técnicas de respiración para unir el cuerpo a la mente, abriendo así un camino que conduce a la salud física, la estabilidad emocional y el equilibrio mental.

Los beneficios de esta antigua práctica se recopilan en numerosos escritos, incluyendo los textos sagrados hindúes de las *Upanisads* y el *Bhagavad Gita*, que datan de entre 400 y 200 años a. C. La práctica contemporánea del hatha yoga se basa principalmente en un texto medieval llamado *Yoga sutras*, aforismos del sabio Patanjali (véase pág. 86).

UNA ANTIGUA DISCIPLINA
El yoga se practica en toda India desde hace milenios. Este cuadro del siglo XVIII de Punjab representa a un yogui realizando sus asanas diarias.

EXTRAER NUESTRO VERDADERO POTENCIAL El principio básico del yoga es que la clave de la felicidad reside en el interior de cada uno de nosotros. La práctica del yoga es simplemente el medio por el cual descubrimos y extraemos esta sabiduría innata. El yoga abre la puerta a nuestro potencial pleno como individuos a través de un sistema de ejercitación consciente que entrena no sólo el cuerpo, sino también la respiración y, en última instancia, la mente.

Yoga en casa es una guía introductoria a algunas de las posturas de equilibrio *(asanas)* y técnicas de respiración *(pranayama)* de este fascinante sistema de ejercitación consciente. Incluye dos sesiones de yoga completas y bien equilibradas –una para principiantes y otra avanzada– que pueden seguirse en la práctica diaria.

Pero el yoga es mucho más que una simple serie de ejercicios, y al final del libro se incluye una introducción a algunos de los principios filosóficos que lo convierten en un modo de vida integral.

ANTES DE EMPEZAR Con los debidos cuidados y preparación, el yoga es una actividad segura, eficaz y gratificante, adecuada para personas de todas las edades. Para que el yoga sea una práctica tan satisfactoria y placentera como sea posible, es mejor tener en cuenta las siguientes directrices.

En la medida de lo posible, intente practicar las posturas siempre a la misma hora del día. Así no sólo se garantizan unos progresos continuados, sino que además es una buena manera de desarrollar una rutina diaria sostenible que le ayudará a obtener resultados positivos y duraderos.

Elija una hora que le resulte cómoda, cuando no tenga otros compromisos. A primera hora de la mañana, a media tarde o al caer la noche son momentos adecuados. Algunas personas comprueban que están bastante rígidas a primera hora de la mañana, pero los niveles de energía están en su punto más alto. Una ducha con agua templada antes de empezar ayuda a aflojar los músculos y las articulaciones.

Al final del día quizá tenga menos energía y le resulte más difícil concentrarse, pero sus músculos y articulaciones están más sueltos y eso facilita la práctica. El atardecer también es un buen momento para una sesión de yoga y ayuda a relajarse. Además, mejorará la calidad del sueño.

Sea cual sea la hora del día que elija, tenga siempre presente que la práctica del yoga requiere tener el estómago vacío. Deje pasar al menos dos horas desde la última comida para digerir cualquier alimento que haya consumido y vacíe los intestinos y la vejiga antes de empezar las *asanas*.

REQUISITOS BÁSICOS
Una colchoneta o manta y cojines es lo único que necesita para practicar el yoga.

EL ENTORNO ADECUADO Tanto si practica las posturas en una habitación como si lo hace al aire libre, asegúrese de que la zona de práctica sea tranquila, cómoda y cálida. Debería contar con una superficie plana (pero no demasiado dura) con espacio suficiente para que usted pueda estirarse en todas direcciones, así como con suficiente aire fresco. El entorno ideal para el yoga es un sitio donde nadie le moleste, preferiblemente un lugar que le produzca una actitud mental serena e inspiradora.

Cuando practique, intente exponer al aire el máximo posible de piel y compruebe que la ropa no limita sus movimientos. La mayoría de los maestros de yoga aconsejan realizar las *asanas* con los pies descalzos. Quítese el reloj, las gafas y cualquier joya antes de empezar.

Intente no abandonar el área de práctica elegida ni interrumpir la sesión de ningún otro modo. Si necesita elementos de apoyo, como un bloque de madera o almohadas, asegúrese de tenerlos bien a mano antes de empezar. Para apoyar la espalda, las rodillas y otras partes del cuerpo, utilice una

7

Relajación

Cuando experimentamos tensiones, nuestro sistema nervioso nos permite soportarlas estimulando el cuerpo para que trabaje con mayor intensidad. Pero los períodos largos de estrés pueden provocar una acumulación de tensión perjudicial. El mejor tónico para todo ello es la relajación, que potencia la salud física, mental y emocional.

EFECTOS DE LA RELAJACIÓN Cuando estamos relajados, el sistema nervioso parasimpático compensa los efectos de la tensión volviendo más lentos la respiración y el ritmo cardíaco. El estado emocional también se calma al pasar de un estado normal de vigilia (el estado beta) a un nivel más profundo y más beneficioso incluso que el sueño (el estado alfa). El yoga ayuda a alcanzar este estado alfa, que hace más lenta la actividad cerebral y permite recuperar la vitalidad física y mental, con lo que ayuda a recobrarse del ritmo de la vida cotidiana actual.

Un momento ideal para relajarse es justo antes y después de una sesión de yoga. La clásica

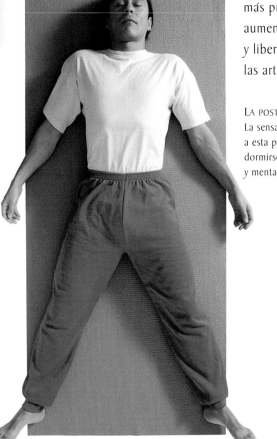

postura de relajación se llama *Savasana*, la postura del cadáver. En esta posición supina, la respiración se hace más profunda y el ritmo cardíaco más lento, lo que aumenta la circulación del oxígeno por todo el cuerpo y libera la tensión acumulada de los músculos y de las articulaciones.

LA POSTURA DEL CADÁVER
La sensación de inmovilidad profunda es la que da nombre a esta postura. Quizá sienta cierto sopor, pero intente no dormirse para ser consciente de las sensaciones físicas y mentales beneficiosas que esta postura le proporciona.

8

———— PRECAUCIÓN ————

Deshaga la postura Savasana muy despacio y con suavidad. Ruede de costado y descanse antes de levantarse.

▼ *Si padece dolor de espalda o lumbago, apoye las piernas sobre una silla o túmbese en posición semisupina.*

Junte las piernas
y extiéndalas
ante usted

Mantenga el torso
y las piernas
alineados

Baje lentamente el
torso hasta alcanzar
la posición supina

1 Siéntese en el suelo, extienda las piernas ante usted con los pies juntos
y échese hacia atrás, apoyándose en los codos. Baje lentamente el torso
hasta tumbarse por completo (posición supina), libere la tensión de
la espalda y estire los brazos, las piernas, la columna y el cuello.

9

2 Estire el cuello y apoye el mentón en el pecho. Eche los hombros
hacia abajo, alejándolos de las orejas, presione con la parte
inferior de la espalda en el suelo bajando la rabadilla (las cinco
vértebras fusionadas de la base de la columna vertebral) y haga
presión con las manos en el suelo.

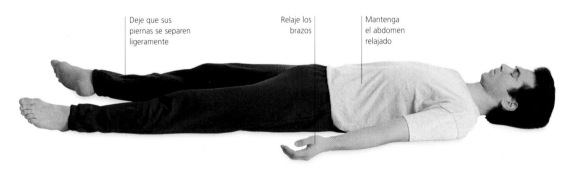

Deje que sus
piernas se separen
ligeramente

Relaje los
brazos

Mantenga
el abdomen
relajado

3 Vuelva las palmas de las manos hacia arriba y extienda los brazos.
Relaje el rostro y sienta como su cuerpo se destensa. Cierre los
ojos y explore mentalmente su cuerpo, recolocando cualquier área
que no esté alineada respecto al eje de su columna vertebral.
Dirija la atención hacia su interior, respire lenta y silenciosamente
y procure mantenerse lo más inmóvil posible.

✱ *Aguante así durante 5 minutos.*

La respiración completa en yoga

Su estado mental se refleja en su modo de respirar. Si sufre de los nervios o de estrés, su respiración será rápida y poco profunda. Pero cuando se relaje, suspirará, se soltará y respirará más profundamente. La mayoría de los adultos no respiran con toda su capacidad pulmonar y el insuficiente aporte de oxígeno al organismo contribuye a su fatiga y estrés.

BENEFICIOS DE LA RESPIRACIÓN El ejercicio clásico de respiración que se describe aquí se llama «respiración completa en yoga». Ésta desarrolla buenos hábitos aumentando la conciencia de las sensaciones de la respiración en tres puntos del torso: poco profunda en la parte superior del pecho (respiración clavicular), más fuerte en el tórax (respiración costal o torácica) y más profunda en el abdomen (respiración abdominal).

La respiración completa en yoga constituye una parte integral de la relajación al final de cada sesión, pero también es importante respirar adecuadamente durante la práctica, por lo que le resultará útil comenzar la sesión con este ejercicio de respiración. Así no sólo aumenta el aporte de oxígeno al inspirar y la eliminación de toxinas como el dióxido de carbono al espirar, sino que además ejerce un masaje y tonifica los órganos internos cuando el diafragma asciende y desciende con cada respiración. Concentrarse en la respiración calma los pensamientos y estabiliza la mente, al tiempo que la mayor cantidad de oxígeno que llega al cerebro mejora la concentración.

POSTURA BÁSICA
Sukhasana, la postura del sastre, es ideal para realizar este ejercicio, ya que mantiene el cuerpo bien asentado y equilibrado. También puede practicarse en la postura del cadáver (véase pág. 8). Mantiene los órganos internos en su posición más sana, de modo que el sistema entero se beneficia al máximo de esta técnica.

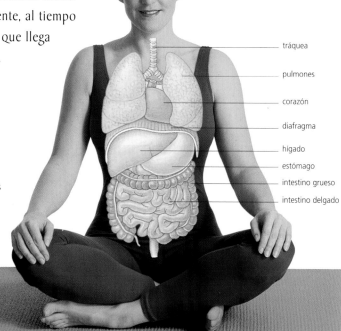

tráquea

pulmones

corazón

diafragma

hígado

estómago

intestino grueso

intestino delgado

1 Siéntese con las piernas cruzadas y con la columna lo más recta posible. Lleve las manos hacia atrás y suba las nalgas para apoyarse directamente sobre el hueso isquion. Estírese siguiendo la columna para extender la parte posterior del cuello y levante la cabeza. Expanda el pecho y relaje los hombros. Coloque las manos sobre el abdomen, por debajo del ombligo. Respire profundamente de modo que sus manos suban y bajen lentamente al ritmo de la respiración.

▶ *Prosiga durante 10 respiraciones.*

2 Coloque las manos sobre la caja torácica y respire lenta y profundamente. Al inspirar, la caja torácica se expande y el diafragma desciende, realizando un masaje sobre los órganos abdominales. Al espirar, la caja torácica se contrae y el diafragma asciende, realizando un suave masaje sobre el estómago.

▶ *Prosiga durante 10 respiraciones.*

11

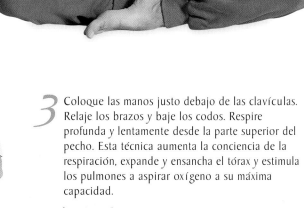

3 Coloque las manos justo debajo de las clavículas. Relaje los brazos y baje los codos. Respire profunda y lentamente desde la parte superior del pecho. Esta técnica aumenta la conciencia de la respiración, expande y ensancha el tórax y estimula los pulmones a aspirar oxígeno a su máxima capacidad.

▶ *Prosiga durante 10 respiraciones.*

Precalentamiento

Con el fin de prepararse para practicar las *asanas*, es vital que adopte antes una serie de posturas para calentar el cuerpo, en especial si acaba de iniciarse en el yoga. Así aumentará la movilidad del esqueleto, fortalecerá los músculos y los órganos internos y estimulará la relajación mental. El precalentamiento activa el sistema corporal incrementando la afluencia de sangre hacia los músculos. También libera la tensión de la columna vertebral y afloja cualquier rigidez de las principales articulaciones.

Los siguientes estiramientos preparatorios refuerzan el grado de reacción física y mejoran ligeramente la flexibilidad antes de las exigencias más rigurosas de la sesión. La postura que se muestra a continuación es particularmente útil para liberar los gases retenidos y expulsar las impurezas del aparato digestivo. Intente dedicar siempre 10-15 minutos al precalentamiento antes de la práctica del yoga. Así disminuirá además la posibilidad de lesiones causadas por una preparación inadecuada.

12

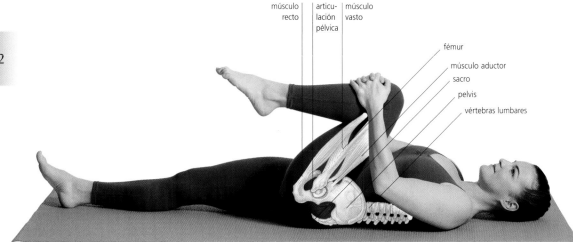

músculo recto | articu- lación pélvica | músculo vasto

fémur
músculo aductor
sacro
pelvis
vértebras lumbares

EL VIENTO
Empezando por la postura del cadáver, estire los brazos por encima de la cabeza y ponga los dedos de los pies en punta. Suba la pierna derecha, doble la rodilla y sujétese la espinilla con ambas manos.

Presione suavemente el muslo derecho contra su abdomen, manteniendo el cuello y los hombros relajados. Así se desentumecen la articulación pélvica y el sacro, además de activar los músculos del muslo.

✳ *Aguante así durante 10 respiraciones.*

▷ *Repítala 5 veces con cada pierna.*

Realice todos los movimientos con fluidez y respire profundamente al estirarse

Mantenga los hombros alejados de las orejas

TORSIÓN EN EL SUELO

Túmbese en posición semisupina con los brazos extendidos hacia los lados. Eche las rodillas hacia la derecha, contra el suelo, y vuelva la cabeza hacia la izquierda. Al inspirar, vuelva a levantar las rodillas hasta el centro y vuelva la cabeza hasta mirar hacia delante. Ahora ejercite el otro lado del cuerpo echando las rodillas hacia la izquierda, contra el suelo, y llevando la cabeza hacia la derecha.

✱ *Aguante así durante 5 respiraciones.*

▷ *Repítala 5 veces hacia cada lado.*

EL PUENTE

Esta postura se expone con detalle en la sesión para principiantes (véase pág. 42). A partir de una posición semisupina, eleve la pelvis y arquee la columna. Junte las manos sobre el suelo y trate de subir el pecho. Compénsela realizando la postura del feto.

✱ *Aguante así durante 5 respiraciones profundas.*

▷ *Repítala 5 veces.*

Al inspirar, eleve la pelvis ligeramente hacia el techo

Intente mantener los pies y las rodillas en línea con las caderas

13

Levante la cabeza para acercarla a las rodillas

EL FETO

A partir de la postura del cadáver, flexione las rodillas, pegándolas al abdomen y abráceselas. Mézase suavemente sobre la columna, hacia delante y hacia atrás y de lado a lado, sin dejar de respirar mientras lo hace. Relájese y repose en una posición semisupina.

✱ *Aguante así durante 5 respiraciones.*

Despertar la columna

La salud general se refleja en la postura y en el estado de la columna vertebral. Gran parte de la tensión de la vida cotidiana se acumula en esta zona y, en consecuencia, se manifiesta en forma de rigidez de los músculos lumbares y dolor en el cuello y en los hombros. Un estilo de vida sedentario, una postura inadecuada y una falta general de actividad contribuyen a sufrir problemas de espalda.

PREPARACIÓN GENERAL Es posible ayudar a mantener fuerte y flexible la columna vertebral. Sin embargo, sin un precalentamiento apropiado, la tensión y la falta de reacción de la espalda hacen imposible adoptar cómoda y correctamente determinadas posturas. Por ello es importante despertar suavemente la columna vertebral durante el calentamiento. Si asiste a una clase de yoga, informe al profesor de cualquier molestia que afecte a su columna, con el fin de que pueda aconsejarle las mejores posturas.

　La postura del gato es una manera suave de ejercitar la columna. En esta postura, la espalda debería curvarse ligeramente. Concéntrese en sincronizar con respiraciones profundas el arqueamiento y el subsiguiente encogimiento de la columna. Eso le ayudará a adquirir los fluidos movimientos felinos que dan nombre a esta postura.

14

EL GATO
Esta secuencia dinámica de movimientos
de precalentamiento realiza un estiramiento curativo
a lo largo de la espalda y estimula la circulación de la
sangre desde la base de la columna hasta la cabeza.
Además tiene un efecto relajante para la mente.

1 Túmbese en la postura de la hoja o *Darnikasana* y relaje los hombros, el cuello y el rostro. Respire profunda y lentamente desde la parte baja del abdomen y sienta su presión contra los muslos. Esta postura ayuda a desarrollar la respiración abdominal.

2 Eleve las caderas y curve la espalda hasta apoyarse en la coronilla, adoptando esta variante de la postura de la hoja. Mantenga los brazos relajados y sienta el suave estiramiento de la parte posterior del cuello. Concéntrese en la expansión de la parte superior de su caja torácica cuando llene los pulmones de aire al inspirar. Esta postura desarrolla la respiración torácica.

15

3 Póngase a gatas, con las manos apoyadas directamente bajo los hombros y las rodillas, alineadas con las caderas. Inspire, mire hacia arriba, hunda la columna y estire la rabadilla en dirección al techo. Respire desde la parte superior del pecho para ayudarle a desarrollar la respiración clavicular.

✳ *Aguante así durante 10 respiraciones.*

4 Siga respirando con la parte superior de la caja torácica, espire, oprima el mentón contra el pecho, arquee la columna y encoja la rabadilla.

✳ *Aguante así durante 10 respiraciones.*

▷ *Deshágala, vuelva a la postura de la hoja y descanse.*

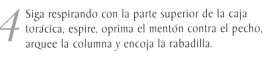

SESIÓN PARA PRINCIPIANTES

El yoga no contiene elemento competitivo alguno, por lo que puede practicarlo

cualquier persona, a cualquier edad. Si usted acaba de iniciarse en el yoga,

debería seguir la sesión para principiantes, que ha sido diseñada como iniciación

a las posturas de equilibrio de la manera más segura posible.

Puede empezar a practicar yoga con independencia de su edad o su estado físico. Este libro se propone como introducción a la práctica del hatha yoga y contiene una serie de posturas diseñadas para adaptarse a distintas capacidades y experiencia previa.

PARA EMPEZAR Empiece siempre la sesión de yoga con una serie de estiramientos (véanse págs. 12-15) y acabe con al menos 5 minutos de relajación. Intente adoptar el hábito de practicar la respiración completa en yoga (véanse págs. 10-11) antes de comenzar, a fin de acordarse de respirar correctamente a lo largo de toda la sesión, y también al final para ayudarle a relajar su mente y su cuerpo.

Para iniciarse, debería practicar las posturas de la sesión para principiantes tres o cuatro veces por semana. Si lo desea, puede practicar cada día. Siga así durante al menos 2 meses o hasta que se haya familiarizado por completo con las posturas iniciales. En cuanto lo haya conseguido podrá probar con las posturas que se describen

en la sesión avanzada. Ambas sesiones empiezan con la secuencia dinámica de saludo al sol para aumentar la energía. Le siguen una serie de posturas erguidas, sedentes, supinas y pronas.

Cada sesión incluye los 6 aspectos fundamentales de una sesión de yoga bien equilibrada: flexiones hacia delante, flexiones hacia atrás, flexiones laterales, torsiones de columna, equilibrios e inversiones. Cada postura se presenta en una doble página. La primera página ofrece información general, mientras que la segunda constituye una guía completa paso a paso para practicar la postura correctamente. Coloque el libro abierto en una mesa al nivel de la vista para poder consultarlo cómodamente durante la práctica. La sesión para principiantes debería realizarse aproximadamente en 1 hora.

LA PRÁCTICA LLEVA A LA PERFECCIÓN Como principiante, es muy importante no saltarse ninguna de las posturas y practicarlas en el orden en que aparecen en el libro. La secuencia de posturas ha sido diseñada especialmente para garantizar que éstas se complementen mutuamente y que cada parte del cuerpo reciba un tratamiento concienzudo. Si le parece difícil cualquiera de las posturas, incorpore las variantes sugeridas.

Si no puede adoptar una postura en toda su extensión, no se preocupe: aunque sólo consiga moverse unos centímetros, la postura seguirá siendo beneficiosa. La práctica regular de cada una de las posturas de la sesión para principiantes garantiza unos progresos constantes y es la mejor manera de obtener resultados eficaces y duraderos.

Las instrucciones para respirar acompañan a las instrucciones paso a paso para adoptar y mantener cada postura. Sígalas al pie de la letra, ya que el control correcto de la respiración ayuda a alcanzar muchas de las posturas uniforme y grácilmente, en especial las secuencias dinámicas. Cuando no se ofrezcan instrucciones específicas de respiración, debe limitarse a respirar normalmente.

AUMENTO DEL BIENESTAR El yoga ofrece muchos beneficios mentales y físicos, y los principales efectos terapéuticos de cada *asana* se detallan en la primera página de cada postura. Incluyen el alivio de dolores y molestias musculares, la corrección de las desviaciones de una correcta postura y algunos estados crónicos como el asma, la ciática y la escoliosis. Desde el inicio de las sesiones debería notar los efectos beneficiosos de la práctica de las posturas

en sólo unas semanas.

Sin embargo, el yoga no debería emplearse como sustituto de la atención médica. Si sufre usted una afección como tensión arterial alta o lumbago, o si está embarazada, consulte con su médico antes de iniciar una sesión de yoga. Las precauciones que debe tomar figuran en la primera página de cada postura y conviene asegurarse de haberlas leído atentamente antes de empezar.

INSTRUCCIONES ADICIONALES *Yoga en casa* le permitirá aprender yoga a su propio ritmo y en la comodidad de su propio hogar. No obstante, puede mejorar la práctica asistiendo a una clase de yoga en la que cuente con la supervisión de un profesor cualificado, que corregirá su postura, le proporcionará estímulos y le orientará la práctica. Las dos sesiones de este libro pueden utilizarse como complemento a las sesiones supervisadas.

17

AJUSTE POSTURAL
La supervisión de un profesor de yoga cualificado puede ayudarle a desarrollar una técnica postural correcta y beneficiosa, que después podrá seguir en su práctica individual.

De la montaña a la pinza en pie

Esta secuencia dinámica se compone de dos importantes posturas básicas o *asanas*: la postura de la montaña y la de la pinza en pie. Estas dos posturas fundamentales componen la primera parte de la clásica postura del saludo al sol (véase pág. 50) y son una manera vigorizante de iniciar la práctica.

Tadasana significa «postura de la montaña» y es la postura básica en pie. Permite mantenerse firmemente erguido y ayuda a corregir la alineación del cuerpo y así reducir la rigidez. Además sostiene la columna vertebral y mantiene los órganos internos en su posición más saludable.

Uttanasana significa literalmente «estiramiento intenso» y es una postura muy beneficiosa. Restaura la elasticidad de la columna y de las piernas, aumenta la afluencia de sangre hacia la parte superior del cuerpo y hacia el cerebro, con lo que mitiga la depresión y además, tonifica el hígado, el bazo, los riñones y los órganos reproductores, lo que alivia los problemas digestivos y menstruales.

ESTIMULAR LA FLEXIBILIDAD
Estas posturas son especialmente beneficiosas para los principiantes, ya que revigorizan el sistema nervioso y aumentan la movilidad de la columna y de las caderas.

18

PRECAUCIÓN

Si no puede inclinarse hacia delante con las piernas rectas, flexione las rodillas y afloje la región lumbar. A medida que vaya practicando, intente estirar las piernas.

No tense los hombros, el cuello o la parte superior de la espalda y procure flexionarse desde la parte inferior de la espalda y las caderas.

Apóyese en una pared para relajar las caderas.

Imagine que tiran de usted hacia arriba por un hilo atado a su cabeza

Mantenga el peso distribuido uniformemente entre ambos pies

Las palmas de sus manos deben unirse a medida que los pulmones se hinchan por completo

Mire hacia arriba pero sin doblarse hacia atrás

Estírese del todo hasta las yemas de los dedos a medida que se flexiona

Baje el mentón y encójalo ligeramente hacia dentro

1 En posición erguida, con los pies juntos, suba los dedos de los pies para repartir su peso uniformemente entre los talones y la parte carnosa de la planta. Manteniendo el equilibrio, apoye otra vez los dedos en el suelo y respire profundamente por la nariz. Ésta es la postura de la montaña.

2 Inspire y estire suavemente los brazos separándolos de los costados. Siga hacia arriba hasta que las palmas de las manos se toquen por encima de la cabeza. Levante la vista, concéntrese en sus dedos pulgares y estire todo su cuerpo hacia arriba.

3 Espire y flexiónese hacia delante desde las caderas. Doble las rodillas en caso necesario. Toque el suelo con las yemas de los dedos de las manos a ambos lados de sus pies y apoye el mentón en las rodillas.

19

Relaje los brazos a ambos costados

4 Inspire sin separar del suelo las yemas de los dedos y suba el pecho. Intente enderezar las piernas pero sin forzarse ni cambiar de postura.

▶ *Espire y vuelva al paso 3.*

▶ *Inspire y vuelva al paso 2.*

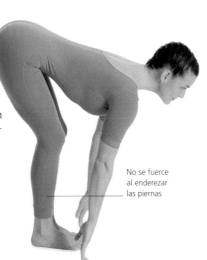

No se fuerce al enderezar las piernas

5 A medida que espira, vuelva a dirigir las manos hacia los costados. Concéntrese en el equilibrio de su peso entre ambos pies y en la simetría de sus caderas y hombros.

▶ *Repita toda la secuencia 5 veces sin interrupción.*

El triángulo lateral (I)

Utthita Trikonasana

Esta postura proporciona al cuerpo un estiramiento lateral completo formando un triángulo (*trikona* en sánscrito) con las piernas, los brazos y el torso. Mantenga las piernas rectas, los muslos separados, en tensión, y las caderas y el pecho relajados. La postura completa puede causar molestias al principio, pero con la práctica resulta más cómoda.

    La postura del triángulo lateral tonifica y fortalece las piernas, las caderas, la espalda, los brazos y el cuello. Además ensancha el pecho, con lo que aumenta la capacidad pulmonar, refuerza la columna vertebral y estimula los riñones y el aparato digestivo.

ALCANZAR EL EQUILIBRIO
Los tres lados del triángulo de esta postura simbolizan el equilibrio, la estabilidad y la armonía. Mientras la practique, éstas son las cualidades en las que debería concentrarse.

20

--- PRECAUCIÓN ---

Si tiene tortícolis u otros problemas del cuello, no mire hacia arriba en esta postura, sino hacia abajo. Así no ejercerá presión sobre las vértebras cervicales y las de la parte alta del torso.

▼ *Si no puede adoptar esta postura de pie, también puede gozar de sus beneficios sentándose para practicarla. Cruce las piernas y estírese hacia arriba y hacia el exterior, incluyendo los brazos.*

▼ *Si padece alguna lesión de hombro, no levante el brazo. En su lugar, apoye la mano en la cadera o colóquela a su espalda.*

No separe
el brazo
de la oreja

Los pies deben
apuntar hacia
delante

Mantenga
los talones
bien alineados
entre sí

1 Partiendo de la postura de la montaña, extienda los brazos en cruz y separe los pies aproximadamente un metro, de modo que queden en la vertical de sus codos. Los talones deben estar bien alineados entre sí, las piernas rectas y los brazos al nivel de los hombros.

2 Gire el pie derecho hacia fuera unos 90° y el pie izquierdo hacia dentro aproximadamente 30°. Apoye las manos en las caderas y mantenga la pelvis apuntando hacia delante. Coloque la mano derecha sobre el muslo derecho y extienda el brazo izquierdo hacia arriba.

21

La pelvis
debe estar
centrada

Mantenga
la cadera izquierda
hacia atrás

No se relaje en
esta postura ni
desplace su peso a
la pierna de apoyo

3 Inspire y estírese hacia arriba con la mano izquierda. Espire y deslice la mano derecha por el muslo y lentamente inclínese hacia un lado, notando el estiramiento del lado izquierdo del cuerpo. Gire la cabeza para mirar al techo.

✽ *Si no puede realizar el paso 4, aguante así durante 10 respiraciones.*

4 Estírese hacia la izquierda y deslice la mano por la pierna derecha hacia el tobillo, si es posible hasta sujetarlo.

✽ *Aguante así durante 10 respiraciones.*

▷ *Inspire y vuelva al paso 1.*

▷ *Repítala hacia el otro lado.*

▷ *Vuelva a la postura de la montaña.*

Utthita Parsvakonasana

El triángulo extendido (I)

El nombre de esta postura viene del sánscrito *parsva*, que significa «flanco», y *kona*, que significa «ángulo». Su alineación en diagonal estira intensamente todo el costado del cuerpo, desde el hombro hasta el pie. Las piernas se separan en la postura del guerrero, llamada así porque recuerda la orgullosa actitud de un luchador. Esto da fuerza y estabilidad a las pantorrillas, los tobillos y las rodillas, y además aumenta la flexibilidad de la cintura y de las caderas.

La postura del triángulo extendido mejora el funcionamiento de los pulmones y alivia los problemas respiratorios, potenciando una profunda expansión del pecho. Esta postura alivia también los dolores que afectan a las articulaciones, por ejemplo en casos de ciática o artritis, y estimula la peristalsis (contracciones involuntarias del tracto digestivo), contribuyendo a evacuar los residuos y a eliminar del cuerpo cualquier impureza.

22

---— PRECAUCIÓN —---

Intente mantenerse lo más recto posible, como si estuviera atrapado entre dos láminas de cristal. Practique el modo de conservar la alineación apoyándose en una pared.

▼ *Si tiene las caderas rígidas, flexione menos la rodilla y coloque la mano, en lugar del codo, en la rodilla. Si sufre tortícolis, no mire hacia arriba sino hacia delante, para no ejercer presión sobre el cuello.*

ALINEACIÓN CORRECTA
Esta variante para principiantes estabiliza la postura apoyando el codo sobre la rodilla, lo que conduce suavemente a la correcta alineación de la columna vertebral.

Los tobillos deben estar alineados con las muñecas

1 A partir de la postura de la montaña, separe los pies aproximadamente 1,3 m y separe los brazos extendidos del cuerpo, hasta que las palmas de las manos queden a la altura de los hombros.

2 Gire el pie derecho hacia fuera unos 90° respecto al cuerpo y el pie izquierdo hacia dentro aproximadamente 30°. A continuación, coloque la mano izquierda detrás de la espalda, de modo que la mano se apoye en el sacro (final de la espalda) o en la cadera derecha.

La rodilla debe estar en línea con el tobillo

Intente mantener la pierna de atrás recta y tensa

Compruebe que el mentón esté alineado con el hombro izquierdo

Procure mantener el pie más retrasado plano en el suelo

3 Doble la rodilla derecha, de modo que el muslo y la pantorrilla formen un ángulo recto y el muslo quede paralelo al suelo. Apoye levemente el codo derecho sobre la rodilla derecha.

4 Eche hacia atrás suavemente el hombro izquierdo y gire la cabeza para mirar hacia arriba.

✻ *Aguante así durante 10 respiraciones.*

▷ *Espire y vuelva al paso 1.*

▷ *Repítala hacia el otro lado.*

▷ *Vuelva a la postura de la montaña.*

Extensión frontal (I)

La postura de los pies separados en *Padottanasana*, que significa «estiramiento de pie intenso», proporciona un tonificante estiramiento completo a las pantorrillas y a los muslos. Eso ayuda a aflojar los tendones de las corvas y a ejercitar los músculos aductores (de la cara interna del muslo). La flexión hacia delante aumenta la afluencia de sangre hacia el torso y hacia la cabeza, lo cual mejora la concentración. La profunda inversión de la postura aporta energía a la columna y al sistema nervioso central, lo que ayuda a aliviar la rigidez

de la espalda y de las caderas. Además ejerce un masaje sobre

——— PRECAUCIÓN———

▼ *Si la flexión hacia delante le resulta difícil con las piernas rectas, flexione las rodillas para descargar la parte baja de la espalda.*

24

MANTENER LA SIMETRÍA
Asegúrese de que sus pies estén paralelos y procure ser consciente de la alineación de los brazos, con el fin de alcanzar el equilibrio y la estabilidad en esta postura.

1 Partiendo de la postura de la montaña, separe los pies aproximadamente 1,25 m y separe del cuerpo los brazos extendidos, hasta que las palmas de las manos estén al nivel de los hombros.

Gire los talones para asegurarse de que los pies están paralelos

2 Apoye las manos en las caderas mientras inspira, extienda el abdomen, suba el pecho y eche los hombros hacia atrás con suavidad mientras mira hacia arriba.

Intente mantener las manos separadas a la anchura de sus hombros y las yemas de los dedos de las manos alineadas con los dedos de los pies

Mantenga la columna y el cuello lo más rectos posible

3 Espire, dóblese hacia delante por las caderas y apoye las yemas de los dedos o las palmas de las manos en el suelo, entre sus pies. Doble las rodillas ligeramente, si es necesario. Inspire, presione el suelo, levante el pecho, extienda el abdomen y mire hacia arriba.

4 Espire y vuelva a doblarse hacia delante por las caderas. Apoye la cabeza ligeramente en el suelo, entre sus manos, y relaje los hombros, el cuello y la cabeza.

* *Aguante así durante 10 respiraciones.*

▷ *Espire y vuelva al paso 2.*

▷ *Inspire y vuelva a la postura de la montaña.*

El árbol (I)

Es importante alcanzar un equilibrio perfecto en la postura
de la montaña, la postura básica en pie, antes de intentar el
equilibrio más difícil de la postura del árbol. Concéntrese en
mantener la estabilidad mientras levanta el pie y traslada el
peso a la pierna de apoyo. Como principiante, quizá le resulte
más fácil iniciar la postura con los pies separados en línea con
sus caderas, en lugar de partir de la postura de la montaña,
con los pies juntos.

Debería proponerse alcanzar la estabilidad y la fuerza
de un árbol bien arraigado en esta postura, la cual exige
dominio de la estabilidad física y de la concentración mental.
Aunque físicamente es sencilla, la postura del árbol requiere
una capacidad de concentración muy desarrollada porque una
mente desequilibrada se traducirá en un desequilibrio físico.
Practique *drushte* -mirar fijamente un punto concreto- mientras
adopta esta postura, con el fin de mantener el equilibrio físico
y la calma mental. El desplazamiento del peso corporal sobre
un pie ayuda a enderezar la columna, dilata y tonifica el pecho
y mejora la eficacia del sistema nervioso central. También
tonifica las piernas, calienta las caderas y fortalece los tobillos.
Pero lo más importante es que la postura del árbol fomenta
una mayor conciencia del cuerpo y por eso es una buena
asana, cuya realización mejora la postura y la actitud
generales.

26

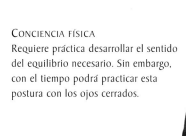

CONCIENCIA FÍSICA
Requiere práctica desarrollar el sentido
del equilibrio necesario. Sin embargo,
con el tiempo podrá practicar esta
postura con los ojos cerrados.

——— PRECAUCIÓN ———

*Si tiene dificultades para mantener
el equilibrio, apóyese en la pared.*

*Si tiene las piernas y las caderas
tensas, balancee suavemente las piernas
y sacuda los pies para relajarlos antes y
después de ejecutar la postura.*

*Si tiene las caderas tensas,
apoye el pie levantado más abajo
sobre la otra pierna, para evitar
la incomodidad.*

1 Sitúese con los pies separados en línea con sus caderas, deje los brazos colgando relajadamente a los costados y cierre los ojos. Concéntrese en el contacto entre sus pies y el suelo y procure visualizar la distribución perfecta del peso entre ambos pies.

Intente mantener los hombros bien separados de las orejas y los brazos rectos

Si su sentido del equilibrio está bien desarrollado, quizá pueda iniciar el paso 1 con los pies juntos en la postura de la montaña

Mantenga la pelvis apuntado directamente al frente

Debería intentar que la pierna flexionada formara un ángulo recto con la pierna de apoyo

Mantenga la columna recta y no deje que las caderas se inclinen hacia un lado

2 Abra los ojos y mire un punto situado a unos 4,5 m frente a usted. Apoye el pie derecho en la cara interior del muslo izquierdo, a la mayor altura posible. Apoye las manos en las cadera para centrar la pelvis antes de estirar los brazos hacia los lados, con las palmas de las manos situadas aproximadamente a la altura de los hombros.

La pierna de apoyo debe permanecer recta y en tensión, pero procure no trabar la rodilla

3 En cuanto sienta la confianza suficiente en el paso 2, levante los brazos por encima de la cabeza y junte las manos, ejerciendo presión con las palmas. Si su equilibrio es correcto y estable, cierre los ojos.

✳ *Aguante así durante 10 respiraciones completas.*

▷ *Repítala con el pie izquierdo.*

El bastón

Dandasana

La secuencia de las *asanas* en pie que ha realizado hasta ahora fortalece y alinea el cuerpo, preparándolo para las torsiones y los estiramientos que encontrará en la siguiente serie de posturas sentado.

Danda significa «bastón». La espalda y los miembros rectos de la postura del bastón constituyen una buena base para practicar la postura de la pinza. Es importante alinear correctamente el cuerpo en esta postura básica antes de pasar a las flexiones y torsiones más rigurosas. En la postura del bastón, la columna debe mantenerse recta y erguida, y las piernas deben estar extendidas al frente con los pies flexionados. Así se ejerce un suave estiramiento en la cara posterior de las piernas y en los tendones de las corvas, con lo que se preparan para el esfuerzo físico más intenso de las posturas que vienen a continuación.

28

PRECAUCIÓN

Es importante sentarse sobre la parte delantera del hueso isquion, subiendo las nalgas por detrás o «andando» varios centímetros sobre las posaderas.

▼ *Para facilitar el estiramiento de la columna, coloque las manos en el suelo a su espalda, con las yemas de los dedos apuntando hacia dentro. Suba el pecho y separe los hombros.*

POSTURA PREPARATORIA
Practique siempre la postura del bastón antes de realizar cualquiera de las posturas más complejas, con el fin de alinear correctamente el cuerpo.

Elévese empezando
desde la coronilla para
estirar la columna

1 Siéntese en el suelo y estire las piernas al frente,
manteniendo los pies juntos. Eche las manos
hacia atrás y levante sus nalgas ligeramente para
asegurarse de que se sienta correctamente sobre
el hueso isquion.

Intente ser
consciente de su
postura y corríjala
si es necesario

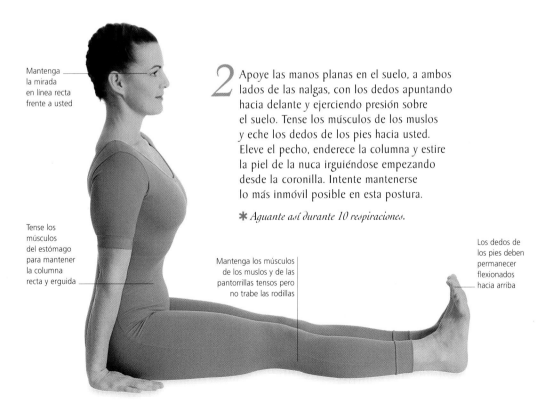

Mantenga
la mirada
en línea recta
frente a usted

2 Apoye las manos planas en el suelo, a ambos
lados de las nalgas, con los dedos apuntando
hacia delante y ejerciendo presión sobre
el suelo. Tense los músculos de los muslos
y eche los dedos de los pies hacia usted.
Eleve el pecho, enderece la columna y estire
la piel de la nuca irguiéndose empezando
desde la coronilla. Intente mantenerse
lo más inmóvil posible en esta postura.

✱ *Aguante así durante 10 respiraciones.*

Tense los
músculos
del estómago
para mantener
la columna
recta y erguida

Mantenga los músculos
de los muslos y de las
pantorrillas tensos pero
no trabe las rodillas

Los dedos de
los pies deben
permanecer
flexionados
hacia arriba

Paschimottanasana
La pinza

Paschima se traduce literalmente del sánscrito como «oeste», que en la tradición yóguica hace referencia a la parte posterior del cuerpo, desde la cabeza a los talones. Así, *Paschimottanasana* significa literalmente «extender» o «estirar el oeste», y en esta postura toda la cara posterior del cuerpo realiza un intenso estiramiento. Esto despierta la columna y el sistema nervioso central, estimulando los centros nerviosos de la región lumbar (la base de la columna), fortaleciendo el cerebro, estirando los tendones de las corvas y volviendo elástico el lomo. Internamente, esta postura estimula el aparato digestivo, relaja la actividad de los riñones, ejerce un masaje sobre el corazón y estimula los órganos reproductores.

Si la parte posterior del cuerpo se asocia tradicionalmente con el oeste, la parte anterior, desde el rostro a los dedos de los pies, se considera la cara oriental, la coronilla se considera el norte y las plantas de los pies y los talones se consideran la cara sur.

LA PINZA
Esta postura es la base de otras *asanas* y debería practicarse siempre antes de pasar a estiramientos y torsiones más difíciles.

—— PRECAUCIÓN ——

No se preocupe por lo mucho o poco que pueda estirarse al principio. Concéntrese en su respiración y en adoptar esta postura de una manera relajada, sin forzar o someter su cuerpo a tensiones innecesarias.

▼ *Si nota la espalda muy rígida, flexione ligeramente las rodillas y entrelace los brazos por debajo de ellas. Abrazarse así las rodillas ayuda a flexionar la parte baja de la espalda y evita doblar la parte superior del cuerpo.*

▼ *Como alternativa, puede facilitar la postura de la pinza colocando un cojín entre su torso y sus piernas o sentándose en una silla, inclinándose hacia delante y dejando caer las manos hacia el suelo al mismo tiempo.*

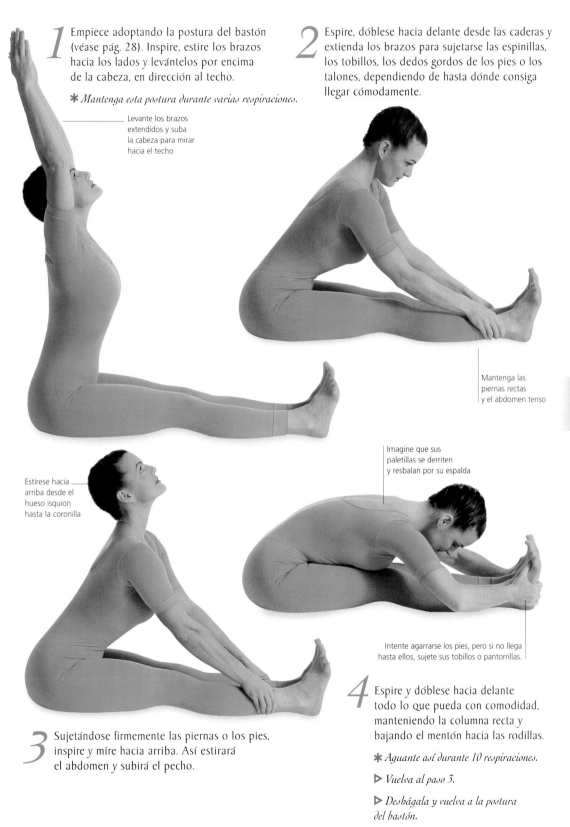

1 Empiece adoptando la postura del bastón (véase pág. 28). Inspire, estire los brazos hacia los lados y levántelos por encima de la cabeza, en dirección al techo.

Mantenga esta postura durante varias respiraciones.

Levante los brazos
extendidos y suba
la cabeza para mirar
hacia el techo

2 Espire, dóblese hacia delante desde las caderas y extienda los brazos para sujetarse las espinillas, los tobillos, los dedos gordos de los pies o los talones, dependiendo de hasta dónde consiga llegar cómodamente.

Mantenga las
piernas rectas
y el abdomen tenso

31

Imagine que sus
paletillas se derriten
y resbalan por su espalda

Estírese hacia
arriba desde el
hueso isquion
hasta la coronilla

Intente agarrarse los pies, pero si no llega
hasta ellos, sujete sus tobillos o pantorrillas.

3 Sujetándose firmemente las piernas o los pies, inspire y mire hacia arriba. Así estirará el abdomen y subirá el pecho.

4 Espire y dóblese hacia delante todo lo que pueda con comodidad, manteniendo la columna recta y bajando el mentón hacia las rodillas.

Aguante así durante 10 respiraciones.

▷ *Vuelva al paso 3.*

▷ *Deshágala y vuelva a la postura del bastón.*

Janu Sirsasana
La pinza lateral

Esta postura, cuya traducción literal del sánscrito es «postura de la cabeza a la rodilla», difiere de la anterior en que la flexión hacia delante del cuerpo se dirige sólo hacia una rodilla. Concéntrese en mantener la alineación entre la cabeza y la rodilla de la pierna extendida, ya que así aumentará su conciencia de la postura. Cuando se incline hacia delante, el peso de su torso intensificará el estiramiento de la pierna recta. Así se aflojan los tendones de las corvas y se potencia la flexibilidad de las caderas y la columna, lo cual es muy beneficioso si lleva una vida sedentaria.

La pinza lateral proporciona varios beneficios internos: mejora el funcionamiento de los órganos abdominales, facilita la digestión y es muy útil para los hombres que sufren prostatitis. También puede ayudar a disminuir la temperatura en casos de fiebre moderada.

32

AVANCE PROGRESIVO
No se preocupe por el alcance de la flexión al principio. Concéntrese en mantener la alineación y el ángulo de 90° de sus piernas.

---- PRECAUCIÓN ----

Intente dirigir su torso sobre la pierna extendida cuando se incline hacia delante.

No fuerce la postura, limítese a respirar y alcanzarla progresivamente.

Estírese hacia delante desde las caderas, manteniendo la columna lo más recta posible para obtener el máximo beneficio de esta postura.

1 Partiendo de la postura del bastón (véase pág. 28), eche el talón del pie derecho hacia la ingle y la rodilla hacia atrás hasta que forme un ángulo de unos 90°. Tense el músculo del muslo izquierdo y presione el suelo con la rodilla izquierda.

Utilice las manos para desplazar su peso hacia delante sobre el hueso isquion

2 Inspire y estire los brazos hacia los costados y luego levántelos por encima de su cabeza. Mire hacia arriba.

Mantenga a rodilla derecha lo más cerca posible del suelo

3 A medida que espira, dóblese hacia delante desde las caderas, estirándose por completo hasta las yemas de los dedos, y agárrese la espinilla, el tobillo o el talón.

Mantenga el hombro derecho al mismo nivel que el izquierdo

La columna debe permanecer lo más recta posible para estirar bien el torso

4 Inspire, tire de la pierna extendida, suba el pecho, estire ligeramente el abdomen y mire hacia arriba. Desde esta posición, levántese desde las caderas y procure mantener el cuello alineado con el resto de la columna.

33

5 Espire, estírese hacia delante y acerque el mentón hacia la rodilla izquierda. Descienda sólo hasta donde le resulte cómodo y no fuerce
* la postura.

▷ *Aguante así durante 10 respiraciones.*

▷ *Vuelva al paso 4.*

Espire, deshaga la postura y repítala hacia el otro lado.

Para adoptar esta postura estírese desde la caderas con el pecho en lugar de la cabeza

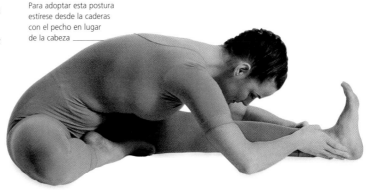

La hoja doblada

Esta secuencia es una variante de *Vajrasana*, la «postura
del cuerpo sentado», y está pensada para que fluya recurriendo
a la *vinyasa* o «sincronización de la respiración y el
movimiento». Este ciclo dinámico de flexiones calienta y
despierta la columna y alivia el dolor de espalda.

La combinación de flexiones hacia delante y hacia atrás
fortalece la columna y potencia la flexibilidad. *Darnikasana*,
la postura de la hoja, ejerce un leve estiramiento sobre la
columna, las caderas y los hombros. Adoptar la postura del
cuerpo doblado encorvándose a partir de esta postura estimula
la afluencia de sangre hacia el rostro y el cerebro, además de
estirar el cuello y la parte baja de la espalda, ayudando a aliviar
las jaquecas causadas por la tensión muscular. Finalmente,
arquear la columna flexionándola hacia atrás expande el pecho
y potencia la respiración profunda. Esta secuencia dinámica
es muy adecuada para contrarrestar las secuelas físicas de una
vida sedentaria.

34

---- PRECAUCIÓN ----

*Mantenga el mentón pegado
al pecho cuando se arquee
en la flexión hacia atrás, en
lugar de echar la cabeza hacia
atrás, si su cuello está rígido.*
*Antes de empezar,
quizá desee girar la cabeza
suavemente de lado a lado
y subir y bajar los hombros
para desentumecer el cuello.*

▼ *Si tiene el cuello muy rígido,
puede apoyar la cabeza sobre
sus manos en la postura del
cuerpo doblado.*

GRACIA Y SEGURIDAD
Sincronizando los movimientos
con la respiración puede garantizar
que realiza la secuencia con
fluidez y sin riesgos.

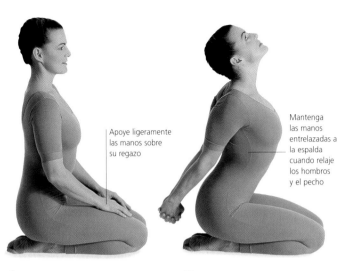

Apoye ligeramente las manos sobre su regazo

Mantenga las manos entrelazadas a la espalda cuando relaje los hombros y el pecho

Asegúrese de que sus nalgas se apoyan en los talones cuando se incline hacia delante

Apoye la cabeza suavemente en el suelo y mantenga la frente relajada

1 Arrodíllese en el suelo, con las rodillas y los pies juntos. Extienda estos últimos hacia atrás y siéntese sobre los talones.

2 Eche los brazos hacia atrás y entrelace los dedos a su espalda. Inspire, mire hacia arriba y arquee la columna.

Espire, inclínese hacia delante y baje la frente hasta el suelo delante de sus rodillas. Se trata de una variante de la postura de la hoja.

35

Mantenga los brazos rectos y procure que sigan alineados con su cuello

Levante las caderas hacia el techo

Imagine que el centro de su esternón es estirado hacia el techo por un hilo

4 Mientras inspira, suba las caderas y arquéese suavemente hasta apoyarse sobre la coronilla, levantando las manos unidas hacia el techo. Ésta es la postura del cuerpo doblado.

✱ *Aguante así durante 5 respiraciones.*

▷ *Espire, vuelva a la postura de la hoja y descanse.*

▷ *Vuelva al paso 1.*

5 Desplace ligeramente las manos hacia atrás, con las yemas de los dedos apuntando hacia sus nalgas, y ejerza presión sobre el suelo. Inspire, arquee la espalda y suba el pecho. Espire, doble lentamente la cabeza hacia atrás y levante la mirada hacia el techo.

✱ *Aguante así durante 5 respiraciones.*

▷ *Deshaga la postura lentamente y vuelva al paso 1.*

▷ *Repita toda la secuencia 3 veces.*

Torsión de columna sentado (I)

Esta postura debe su nombre al sabio Matsyendra, uno de los cinco maestros de hatha yoga. Proporciona una rotación de la columna que revitaliza y corrige la alineación de las vértebras de la parte superior del cuerpo y del cuello. La torsión de columna sentado también fortalece los músculos del cuello, relaja los hombros, el pecho y las caderas, corrige la escoliosis (desviación de la columna) y ayuda a prevenir los dolores reumáticos y las neuralgias.

El movimiento de torsión tiene un efecto de compresión y de masaje que beneficia a los riñones, tonifica las glándulas adrenales y estimula el tiroides. Además, potencia la peristalsis (contracciones involuntarias del tracto abdominal), con lo cual depura la sangre y el aparato digestivo.

PRECAUCIÓN

Mantenga la postura durante varias respiraciones, subiendo la columna con cada inspiración y efectuando una suave torsión con cada espiración.

▼ *Si tiene las caderas tensas, quizá prefiera mantener recta la pierna más baja.*

Es importante mantener la columna recta y el pecho erguido. Además, elévese hasta separar del suelo el hueso isquion y mantenga los hombros echados hacia atrás y ambos al mismo nivel.

▼ *Si tiene las caderas tensas o problemas de rodilla, practique esta postura sentándose en una silla. También es una buena variante a la que recurrir durante las jornadas laborales para aliviar la tensión de la espalda y el cuello.*

36

FLEXIBILIDAD PROTECTORA
Esta postura de torsión sentado ayuda a mantener flexible y elástica la columna. Además potencia la movilidad de las articulaciones de las caderas, de las rodillas y de los hombros.

1 Arrodíllese en el suelo y descanse el peso del tronco sobre la nalga y el muslo izquierdos. Comprima los talones contra las nalgas con la mano derecha y utilice la izquierda para apoyarse.

Mantenga los hombros distendidos, relajados y paralelos al suelo

Apoye la mano izquierda plana en el suelo para evitar que su cuerpo se incline hacia un lado

Estírese desde la coronilla para adoptar la postura más erguida posible

Intente mantener el pie y la rodilla más adelantados planos sobre el suelo

2 Utilice la mano derecha para colocar el pie derecho sobre la pierna izquierda, a la altura de la rodilla, y apoye la planta del pie en el suelo. Concéntrese en mantener recta la columna.

Utilice el brazo derecho para abrazarse la rodilla derecha contra el pecho

No descargue demasiado peso sobre la mano derecha para evitar inclinarse en esta postura

3 Apoye la mano derecha en el suelo, a su espalda, y con la mano izquierda suba su rodilla derecha hasta el pecho. Eleve el abdomen al inspirar y al espirar vuelva la cabeza para mirar por encima de su hombro derecho.

✳ *Aguante así durante 10 respiraciones.*

▷ *Repita la postura hacia el otro lado.*

Bhujangaasana
La cobra

Bhujanga significa «serpiente», y en esta grácil postura con flexión hacia atrás, las piernas permanecen en contacto con el suelo mientras el tronco se levanta desde las caderas y la cabeza sube para formar un acusado ángulo que recuerda a una cobra a punto de atacar.

El potente y tonificante estiramiento de la postura de la cobra fortalece la espalda y expande totalmente el pecho. Corrige las desviaciones menores de la columna y, al ejercer una suave presión sobre el abdomen, da un masaje a los órganos internos que alivia los dolores menstruales y los problemas digestivos. Las embarazadas pueden realizar una variante de esta postura en pie.

--- PRECAUCIÓN ---

Mantenga los hombros y el rostro relajados, y los codos hacia dentro.

Intercale siempre la postura de la cobra con una variante de la postura de la hoja que relaje la columna.

Si está embarazada no practique la postura de la cobra, sino una variante en pie, para evitar ejercer una gran presión sobre el abdomen.

38

COLUMNA SANA
Levante el torso vértebra por vértebra, estirándose cuanto pueda, sin forzarse.

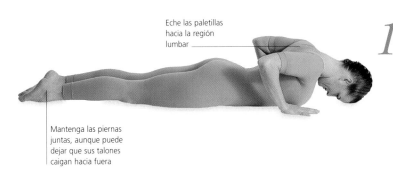

Eche las paletillas hacia la región lumbar

Mantenga las piernas juntas, aunque puede dejar que sus talones caigan hacia fuera

1 Tiéndase sobre el estómago, coloque las manos bajo los hombros y apoye la cabeza en el suelo. Los dedos gordos de los pies deben tocarse, pero los talones pueden abrirse hacia los lados. Es importante mantener los pies en contacto con el suelo todo el tiempo.

Mantenga las manos separadas del suelo

2 Mientras inspira, baje la punta de la nariz hasta el suelo, seguida por el mentón. No apoye las muñecas, mantenga las manos ligeramente levantadas, de modo que sólo pueda utilizar los músculos de la espalda para separar el torso del suelo.

✳ *Aguante así durante 5 respiraciones.*

▷ *Espire y vuelva al paso 1.*

3 Lleve las manos hacia atrás unos 5 cm hacia la cintura y vuelva a subir el torso. Esta vez, ejerza una suave presión en el suelo con las manos, apoyando las muñecas, para aumentar el grado de elevación. Mantenga la cabeza bien alta y relaje los hombros. Expanda el pecho y estire los dedos de los pies para aumentar el estiramiento de las piernas.

✳ *Aguante así durante 5 respiraciones.*

▷ *Vuelva al paso 1.*

39

Concentre la mirada en la punta de su nariz para mantener la cabeza erguida

Mantenga la parte posterior del cuello alineada con la columna

Los codos deben permanecer ligeramente flexionados

No separe la parte superior de los muslos del suelo

4 Cuando haya completado la postura, levántese presionando el suelo con las manos y las rodillas, siéntese sobre los talones y dóblese hacia delante desde la cintura hasta que su frente repose sobre el suelo. Extienda los brazos ante usted. Ésta es la postura de la hoja extendida.

✳ *Descanse en esta postura durante 10 respiraciones.*

Relaje los brazos, los hombros, el cuello y la cabeza

Adho Mukha Svanasana
El perro invertido

Esta postura recuerda a un perro desperezándose, y de ahí
su nombre, que se traduce literalmente como «hacia abajo»
(*adho*), «de cara» (*mukha*) y «postura del perro» (*svanasana*).
Es una postura que aporta mucha energía, alivia la fatiga
física y además proporciona los mismos beneficios mentales
y emocionales que las demás posturas invertidas: aumento
de la afluencia de sangre hacia el tronco, el rostro y el cerebro,
mejora de la concentración y alivio de la depresión.

La postura del perro invertida elimina la rigidez de las
articulaciones, en particular de los talones y de los hombros,
y alivia la artritis. Estirando y alargando los músculos de la
pantorrilla y los tendones de las corvas aumenta la flexibilidad y
las piernas se tornean y tonifican. Este estiramiento potencia
también la velocidad y la agilidad, por lo cual constituye una
postura ideal para los atletas.

40

ESTIRAMIENTO REVITALIZADOR
El estiramiento en esta postura
quizá resulte un poco
intenso al principio,
pero proporciona
muchos beneficios,
tanto físicos como
mentales.

PRECAUCIÓN

*Es importante apoyar las manos
planas en el suelo y con los
dedos extendidos y bien
separados. No tuerza las
muñecas.*

*Levante las caderas
apoyándose en las manos y
estirando el torso. Suba el hueso
isquion cuanto pueda, relaje el
cuello y deje caer el mentón
hacia el pecho. Si no puede
estirar la columna, flexione
las rodillas.*

▼ *Practique la alineación
apoyando las manos en una
pared, separadas a la anchura
de sus hombros. Separe los pies,
que deben estar paralelos
entre sí, en línea con
sus caderas.*

1 Póngase a gatas, colocando las manos en la vertical de los hombros y con las rodillas y los pies separados alineados con sus caderas. Compruebe que su cuello está en línea con el resto de la columna.

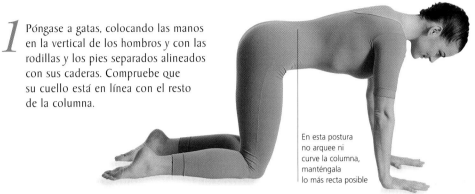

En esta postura no arquee ni curve la columna, manténgala lo más recta posible

2 Apoye los dedos de los pies en el suelo, inspire y estire las piernas. Espire y baje suavemente los talones hasta donde pueda sin forzarse. Luego tense los músculos situados justo por encima de sus rodillas y siga con los músculos de los muslos. Estírese desde los brazos, mientras sube el hueso isquion en dirección al techo.

✴ *Aguante así durante 10 respiraciones.*

Si queda demasiado espacio o insuficiente entre sus talones y el suelo, eche los pies unos centímetros hacia atrás o hacia delante, respectivamente

Mantenga los pies alineados entre sí

Intente mantener los hombros alineados con la columna en la postura completa

41

3 Compense el estiramiento volviendo a apoyar las rodillas en el suelo y sentándose sobre los talones. Apoye las manos sobre su regazo sin ejercer presión.

▷ *Descanse en esta postura durante varias respiraciones.*

Tense el abdomen justo por debajo del ombligo para mantener la postura erguida

El puente

Traducida literalmente como «postura del arco hacia arriba», *Urdhva Dhanurasana* crea una curva uniforme ascendente del cuerpo, que se apoya sobre los hombros y los pies. La elevación pélvica estira la parte delantera del cuerpo (que tradicionalmente se asocia con el este) y por ello compensa bien las *asanas* que estiran la cara posterior u occidental del cuerpo (véase «La pinza», pág. 30). El pecho y el abdomen suben, con lo cual se estiran los músculos abdominales y los de la parte inferior de la espalda y se calienta la columna para aumentar su elasticidad (véase pág. 13).

Si este estiramiento le parece demasiado intenso al principio, puede variar la postura para ofrecer más apoyo al arco de la espalda, ya sea apoyando las manos en la cintura o extendiendo los brazos rectos sobre el suelo y entrelazando los dedos. Así se comprimen las paletillas una contra otra, con lo que se expande la parte delantera del pecho y se refuerza la parte posterior del cuello.

PRECAUCIÓN

Haga y deshaga esta postura lenta y uniformemente, sincronizando sus movimientos con una respiración profunda.

▼ *Para desarrollar la flexibilidad de una manera segura, tiéndase sobre una manta enrollada o un cojín, ya sea arrodillándose o de espaldas y con las piernas extendidas. Primero apóyese en los codos, luego, una vez acomodado, extienda los brazos por encima de la cabeza para estirar la columna. Mantenga el cuello relajado.*

▼ *Después de realizar la postura del puente compénsela siempre subiendo las rodillas hasta el pecho para relajar el sacro.*
Sitúe los pies paralelos entre sí. Cuando suba no se apoye en los bordes externos de los pies, sino en los dedos gordos.

42

1 Tiéndase de espaldas en la postura del cadáver y eche los talones hacia atrás, hacia sus nalgas. Separe los pies en línea con sus caderas y gire los talones ligeramente hacia afuera, de modo que sus pies queden bien alineados entre sí.

2 Oprima el suelo con la palma de las manos mientras inspira, suba la pelvis y arquee la espalda. Ejerza presión con los bordes interiores de los pies y procure no dejar que sus rodillas se unan.

✳ *Aguante así durante 5 respiraciones.*

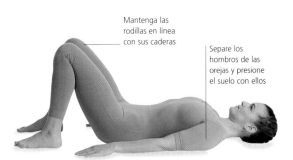

Mantenga las rodillas en línea con sus caderas

Separe los hombros de las orejas y presione el suelo con ellos

Utilice los músculos abdominales para subir el tronco

3 Mientras espira, descienda hasta el suelo, abrácese las rodillas contra el pecho y baje la frente hacia las rodillas. Mézase suavemente de lado a lado y adelante y atrás durante varias respiraciones. Esta contrapostura es la del feto (véase pág. 13).

▷ *Vuelva al paso 1.*

Mantenga los pies planos sobre el suelo durante toda la postura

4 Suba la pelvis y entrelace los dedos debajo de su espalda, manteniendo los brazos rectos. En esta variante, eche las paletillas hacia dentro para acercarlas una a otra, manteniendo las manos unidas en el suelo.

✳ *Aguante así durante 5 respiraciones.*

▷ *Repita el paso 3.*

43

▷ *Vuelva al paso 1.*

5 Vuelva a colocar los pies como en el paso 1, pero esta vez intente estirar los brazos hasta sujetarse los tobillos. Cuando inspire, suba la pelvis hacia el techo en toda la extensión de la postura. Intente mantener los talones en el suelo.

✳ *Aguante así durante 5 respiraciones.*

▷ *Repita el paso 3.*

▷ *Vuelva a la postura del cadáver.*

Ardha Sarvangasana
La media vela

El nombre *Sarvangasana* procede de las palabras sánscritas que significan «todas las extremidades» y «todo el cuerpo». Así, la postura completa se llama también «postura de todas las partes» y se considera una panacea para dolencias comunes como resfriados, jaquecas y problemas digestivos. También se conoce como la «madre de todas las *asanas*» debido al efecto rejuvenecedor que tiene sobre todo el cuerpo.

La media vela no requiere el mismo grado de equilibrio y control necesario para practicar la postura completa (véase pág. 78) u otras posturas invertidas. Aun así, proporciona muchos de los beneficios de toda inversión completa, como aumentar la afluencia de sangre hacia el corazón, el pecho y la cabeza, relajar la mente y potenciar la capacidad de concentración.

44

PRECAUCIÓN

▼ *Para alcanzar la postura sin riesgo, apoye los pies en la pared, doble las rodillas y suba las caderas, utilizando la pared para ascender sin peligro. Ésta es una buena variante de la postura para emplearla durante el embarazo.*

No practique la media vela o la postura completa si tiene la tensión arterial alta.

RESPIRACIÓN DEPURATIVA
La contracción de la parte superior de los pulmones en esta postura activa la respiración abdominal profunda, que expulsa toxinas y residuos.

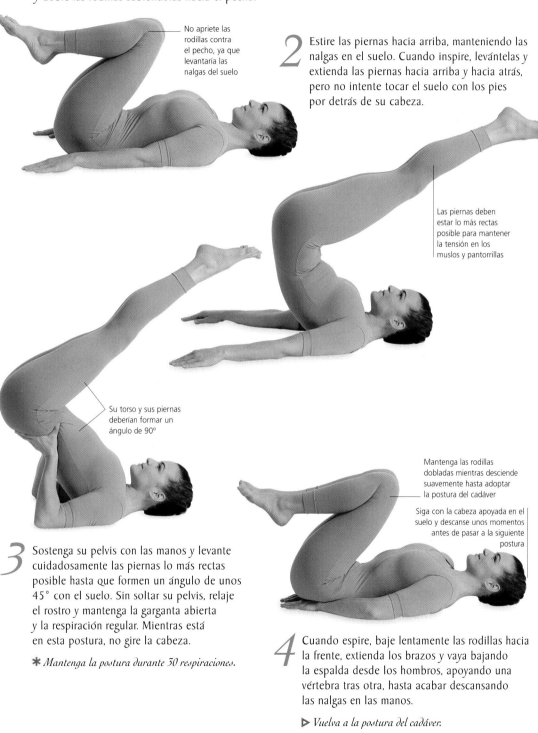

1 Tiéndase en el suelo con las manos en los costados. Presione con las palmas el suelo y doble las rodillas subiéndolas hacia el pecho.

No apriete las rodillas contra el pecho, ya que levantaría las nalgas del suelo

2 Estire las piernas hacia arriba, manteniendo las nalgas en el suelo. Cuando inspire, levántelas y extienda las piernas hacia arriba y hacia atrás, pero no intente tocar el suelo con los pies por detrás de su cabeza.

Las piernas deben estar lo más rectas posible para mantener la tensión en los muslos y pantorrillas

45

Su torso y sus piernas deberían formar un ángulo de 90°

Mantenga las rodillas dobladas mientras desciende suavemente hasta adoptar la postura del cadáver

Siga con la cabeza apoyada en el suelo y descanse unos momentos antes de pasar a la siguiente postura

3 Sostenga su pelvis con las manos y levante cuidadosamente las piernas lo más rectas posible hasta que formen un ángulo de unos 45° con el suelo. Sin soltar su pelvis, relaje el rostro y mantenga la garganta abierta y la respiración regular. Mientras está en esta postura, no gire la cabeza.

✱ *Mantenga la postura durante 30 respiraciones.*

4 Cuando espire, baje lentamente las rodillas hacia la frente, extienda los brazos y vaya bajando la espalda desde los hombros, apoyando una vértebra tras otra, hasta acabar descansando las nalgas en las manos.

▷ *Vuelva a la postura del cadáver.*

El pez (I)

Matsyasana

El pez es una buena contrapostura para la media vela porque el arqueamiento de la espalda relaja la parte superior del pecho, con lo que invierte la constricción de la postura anterior. Este desentumecimiento de los hombros estimula la respiración clavicular, en oposición a la abdominal (véase pág. 10), lo cual tonifica la parte superior del pecho y alivia la rigidez y la tensión de los hombros y del cuello.

La postura del pez contrae las vértebras de la parte posterior del cuello, una compensación aún mayor de la vela, que estira intensamente esta zona. Practicando ambas posturas se beneficia la glándula tiroides (situada en la base del cuello), con lo que aumenta la eficacia metabólica y los niveles de energía. El tiroides controla también la absorción de calcio, que a su vez regula la contracción de los músculos, incluyendo el corazón, y garantiza la resistencia de los huesos y de los dientes. La postura del pez hace entrar en calor a las articulaciones pélvicas y estira las piernas y los dedos de los pies, una buena manera de corregir desvíos menores de la alineación postural.

PRECAUCIÓN

Cuando eche la cabeza hacia atrás, mantenga el rostro y el cuello totalmente relajados.

Intente subir el pecho lo máximo posible para expandir por completo la caja torácica y estimular la respiración profunda.

▼ *Si tiene tortícolis u otros problemas de cuello, mantenga la cabeza levantada del suelo. Así no ejercerá presión sobre la cabeza y el cuello.*

EXPANSIÓN DEL PECHO
La práctica regular de esta postura estimula la expansión de la caja torácica, lo que mejora la capacidad pulmonar y contribuye a aliviar problemas respiratorios como el asma.

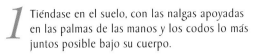

1 Tiéndase en el suelo, con las nalgas apoyadas en las palmas de las manos y los codos lo más juntos posible bajo su cuerpo.

Apoye las manos en el suelo, con las palmas hacia abajo, para descansar encima la base de columna y las nalgas

2 Inspire, elévese sobre los codos y eche la cabeza hacia atrás, y luego bájela hasta apoyar la coronilla suavemente en el suelo. Imagine que el centro de su esternón está siendo estirado hacia el techo por un hilo.

✳ *Aguante así durante 15 respiraciones.*

Sus codos tienen que estar encogidos bajo el cuerpo para que sean ellos los que soporten su peso, en lugar de la cabeza y el cuello

Intente mantener la garganta abierta y relajada para facilitar una respiración profunda

Mantenga las piernas juntas y las rodillas rectas y no permita que sus pies caigan hacia los lados

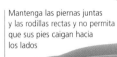

3 Compense la postura levantándose apoyado en los codos, subiendo la cabeza y bajando el torso lentamente hasta el suelo. Entrelace los dedos por detrás de la cabeza y proyecte el mentón ligeramente hasta el pecho durante varias respiraciones, antes de bajar la cabeza hasta el suelo.

▷ *Vuelva a la postura del cadáver.*

Relaje sus piernas y pies en esta contrapostura

Eche la cabeza hacia delante y mírese los dedos de los pies para estirar al máximo la parte posterior del cuello

SESIÓN AVANZADA

Estas series de asanas *sólo deberían realizarse después de familiarizarse con la sesión para principiantes. La sesión avanzada le muestra cómo ampliar las posturas básicas y presenta otras secuencias de la práctica del yoga.*

En la sesión avanzada se supone cierto grado de experiencia y conocimiento, tanto en cuanto a la información general como a la guía paso a paso de cada postura. En consecuencia, es importante que usted conozca suficientemente bien las posturas básicas antes de empezar con las de esta sección. Por otra parte, la intención de la sesión avanzada es guiarle para que desarrolle más aptitudes, por lo que no es necesario ser un experto para realizar la mayoría de estas posturas.

POSTURAS FAMILIARES Además de presentar técnicas de yoga más complejas, esta serie de *asanas* aumenta la intensidad de algunos equilibrios, estiramientos y extensiones ya descritos. La sesión empieza con el saludo al sol, completando la secuencia dinámica que aparece por primera vez en la sesión para principiantes, y prosigue con una serie de posturas individuales estáticas.

Acuérdese de realizar un calentamiento corporal previo y de despertar su columna vertebral apropiadamente antes de empezar la sesión. Al igual que con la sesión para principiantes, debe relajarse

adecuadamente cuando acabe, incorporando la respiración en yoga completa (véase pág. 10). Al final de esta sesión se describen otras técnicas de respiración más avanzadas.

Cuando una *asana* de esta serie sea una variante avanzada de una postura básica de la sesión para principiantes, aparecerá una pequeña imagen de la postura en la página de presentación. Esto sirve para recordarle el nivel que ya debería haber alcanzado y ayuda a demostrar la progresión que conseguirá siguiendo la sesión avanzada. Antes de realizar cualquiera de las flexiones más avanzadas de esta serie (véanse págs. 60-63), es importante practicar la postura del bastón (véase pág. 28) y la postura de la pinza (véase pág. 30).

MEJOR FORMA FÍSICA La sesión avanzada incluye un mayor número de *vinyasa* dinámicos, o secuencias de movimientos sincronizados con la respiración, para los cuales se requiere respirar controladamente y poseer un buen estado físico. No debe usted pretender dominar inmediatamente estas posturas *vinyasa*, pero si le resultan demasiado arduas, dedique más tiempo a trabajar la sesión para principiantes, y así mejorar su forma física general.

TENGA EN CUENTA SUS NECESIDADES Cada estudiante de yoga es un individuo, con distintas aptitudes. Quizá le resulte más fácil dominar algunas de las posturas que otras, pero si tiene dificultades al practicar alguna en concreto, no fuerce su cuerpo a alcanzar la extensión completa. En su lugar, realice la variante sugerida o la postura básica de la sesión para principiantes. Si la mayoría de las posturas de esta sesión son demasiado difíciles para usted, prolongue las series para principiantes durante varias semanas, hasta que haya desarrollado la fuerza y la flexibilidad suficientes para seguir

adelante. Siga teniendo en cuenta las precauciones aconsejadas, sobre todo si sabe que siente molestias o tiene un problema físico.

TRABAJAR CON UN COMPAÑERO Quizá desee variar las secuencias de esta sesión trabajando con un compañero. Así puede conferir movimiento a posturas que de otro modo serían estáticas –profundizando y ampliando las posturas– y hacer la práctica más estimulante. Si decide trabajar con un compañero, asegúrese de que él o ella posee conocimientos prácticos de yoga y ha alcanzado un nivel similar al suyo. Una postura ideal para realizarla juntos es la variante de la postura del ángulo (véase pág. 68) que se muestra a continuación.

PRÁCTICA CON UN COMPAÑERO
Realizar ejercicios de yoga con un compañero ayuda a profundizar en la práctica y conseguir apoyo moral.

49

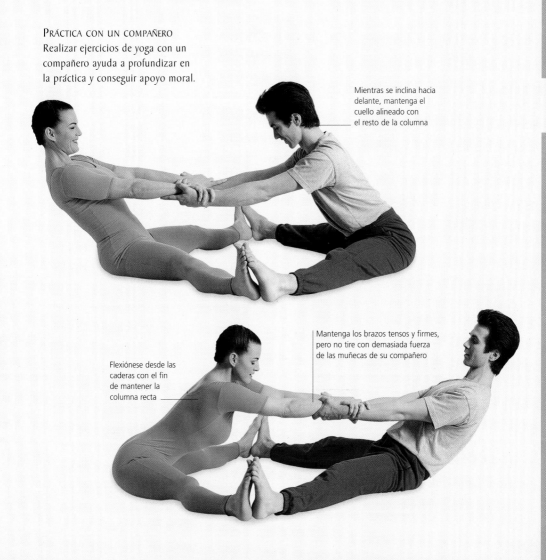

Mientras se inclina hacia delante, mantenga el cuello alineado con el resto de la columna

Mantenga los brazos tensos y firmes, pero no tire con demasiada fuerza de las muñecas de su compañero

Flexiónese desde las caderas con el fin de mantener la columna recta

Saludo al sol

Esta revitalizadora secuencia prepara para los esfuerzos del día y tradicionalmente se realiza antes de la salida del sol, de ahí su nombre, *Surya Namaskar*, que significa «salutación al sol». A menudo se suele iniciar con él una sesión de yoga, ya que proporciona energía al cuerpo y ayuda a conseguir la flexibilidad preparatoria para las posturas estáticas individuales de yoga.

El saludo al sol no es una única *asana*, sino una secuencia dinámica de posturas sincronizadas con la respiración para que se sucedan fluidamente sin impedimentos y creen *vinyasa*. La transición de una postura a la siguiente tonifica y revitaliza el cuerpo, corrigiendo la alineación de la columna y del esqueleto, potenciando una respiración profunda y aumentando la afluencia de sangre hacia todos los sistemas vitales del organismo. Ya debería usted conocer algunas de las posturas de la secuencia, por ejemplo la secuencia de la montaña a la pinza en pie (o el medio saludo al sol, véase pág. 18), que compone los dos primeros movimientos de esta secuencia, y la postura del perro invertido (véase pág. 40). Las *asanas* más avanzadas que aparecen aquí como parte del saludo al sol se tratarán individualmente, con mayor detalle, en páginas posteriores. La secuencia en la cual debería usted practicar las posturas se explica en la página siguiente; efectúelas con fluidez y sin pausas antes de volver a la postura de partida para crear un ciclo completo.

Posturas básicas

La montaña (izquierda)
La pinza en pie (derecha)

50

EL REZO
En muchas culturas, la postura de manos *Namaskar* significa tanto un saludo respetuoso como una oración. Tradicionalmente, así empieza y termina la secuencia del saludo al sol.

PRECAUCIÓN

Cuando avance para apoyarse en el empeine de los pies para adoptar la postura del perro, manténgalos relajados. Si siente alguna molestia, gire los pies hacia atrás. Si esta postura ejerce demasiada presión sobre la parte baja de su espalda, mantenga los muslos en contacto con el suelo y en su lugar practique la postura de la cobra (véase pág. 38).

Si mantener la postura de la plancha inclinada le resulta muy difícil, apoye las rodillas en el suelo.

1 Practique las posturas básicas de la secuencia de la montaña a la pinza en pie. Espire y retrase los pies, apoyando el peso sobre las manos y los dedos de los pies, mientras mantiene el cuerpo en línea recta. Esta postura se llama *Caturanga Dandasana*, la postura de la plancha inclinada (véase pág. 71).

Mantenga los brazos rectos y las manos situadas en la vertical de los hombros

Con la práctica podrá doblar los codos y sostener todo su cuerpo paralelo al suelo

2 Inspire y avance el cuerpo para apoyarse en el empeine de los pies. Expanda el pecho y levante la mirada hacia el techo. Ésta es la postura del perro (véase pág. 70). Intente mantener las piernas separadas del suelo, pero si la tensión es excesiva, apoye las rodillas para adoptar la postura de la cobra.

Para evitar que la espalda se arquee, yérgase empleando los músculos abdominales

3 Espire y vuelva a apoyarse sobre los dedos de los pies, levantando las caderas y bajando la cabeza hasta adoptar la postura del perro invertida. Separe los pies a la anchura de sus caderas, manteniéndolos paralelos y con los talones ligeramente levantados del suelo. Extienda los dedos de las manos y presione el suelo con las palmas.

Suba el hueso isquion hacia el techo

* *Aguante así durante 5 respiraciones.*

51

4 Inspire y camine sin incorporarse hasta que sus pies estén entre sus manos. Mire hacia arriba, suba el pecho y estire la espalda. Espire, vuelva a flexionarse hacia delante y baje el mentón hasta las rodillas, en la postura de la pinza en pie. Tense el abdomen y levante la cabeza.

5 Espire, incorpórese y mírese los pulgares. Junte las palmas de las manos con fuerza y estírese todo lo posible. Espire y baje los brazos extendidos hacia los lados, imaginando que empuja el aire hacia abajo.

▷ *Vuelva a la postura de la montaña.*

▷ *Repita la secuencia 5 veces.*

El triángulo lateral (II)

El estiramiento lateral de la postura para principiantes (véase pág. 20) se amplía en esta sesión sujetándose el tobillo o el dedo gordo del pie con una mano, o bien apoyando la palma en el suelo detrás del pie. Se potencia una expansión más profunda del pecho estirando el otro brazo hacia arriba desde el hombro, de modo que suba hacia el techo y forme una línea vertical con el otro brazo. Esta postura tonifica los músculos de las piernas, con lo cual se elimina la rigidez, se corrige la alineación y se fortalecen la columna, las caderas y los tobillos.

Es importante haber dominado la postura del triángulo lateral (I) y ser capaz de mantenerla cómodamente con estabilidad y equilibrio antes de realizar esta variante más avanzada e intensa.

Postura básica
El triángulo lateral (I)

52

ALINEACIÓN ARMÓNICA
Intente seguir la secuencia de pasos de la manera más fluida y grácil posible, concentrándose en la simetría y la alineación de los brazos, las caderas y las piernas para mantener la estabilidad.

Los pies deben
apuntar hacia
delante

Mantenga los
talones alineados
entre sí

1 Empiece con la postura de la montaña y a partir de ahí separe los pies aproximadamente 1,25 m y extienda los brazos rectos hacia los lados, de modo que los pies queden situados en la vertical de los codos.

2 Gire el pie derecho hacia afuera unos 90° y el izquierdo hacia dentro unos 30°, manteniendo las rodillas alineadas entre sí. Baje el brazo izquierdo y póngaselo a la espalda, luego gire la cabeza para seguir con la mirada toda la longitud del brazo derecho extendido.

53

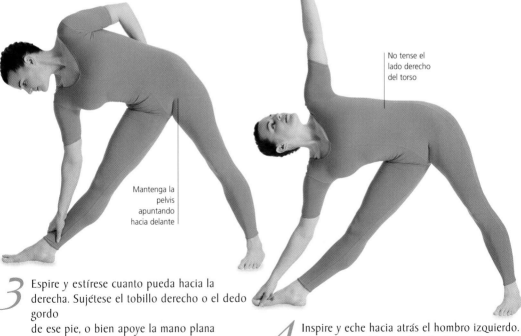

No tense el
lado derecho
del torso

Mantenga la
pelvis
apuntando
hacia delante

3 Espire y estírese cuanto pueda hacia la derecha. Sujétese el tobillo derecho o el dedo gordo de ese pie, o bien apoye la mano plana en el suelo, si es posible.

4 Inspire y eche hacia atrás el hombro izquierdo. Espire, estire el brazo derecho hacia el techo y mire hacia arriba, a su pulgar. Para mantener el brazo tenso imagine que su mano izquierda es una flecha que apunta hacia el techo.

✻ *Aguante así durante 10 respiraciones.*

▷ *Repita la secuencia hacia el otro lado y vuelva a la postura de la montaña.*

Utthita Parswakonasana

El triángulo extendido (II)

Esta variante más avanzada de la postura del triángulo extendido (I) (véase pág. 22) se profundiza moviendo los brazos hasta una nueva postura que amplía el estiramiento mientras mantiene estable y fijada la postura del guerrero de las piernas, que ya debería conocer de la sesión para principiantes.

En El brazo izquierdo se sube por encima de la cabeza para crear una tensa línea continua en diagonal a lo largo de todo el costado. Este estiramiento lateral fortalece las pantorrillas y los muslos, corrige la alineación de los tobillos y las rodillas, reduce la cintura y las caderas y expande la caja torácica, con lo que se facilita la respiración profunda. La extensión completa de esta postura también alivia los dolores de espalda causados por la artritis o la ciática. Sin embargo, no debe intentar hacerla hasta que pueda mantener cómodamente el estiramiento de la postura básica para principiantes.

Postura básica

El triángulo extendido (I)

54

PROFUNDIZAR EN LA POSTURA
Apoye una mano en el suelo para optimizar la alineación lateral del cuerpo. Empiece colocando una mano en la parte externa del pie, aunque a medida que progrese podrá apoyarla en el borde interior, de modo que la parte superior del brazo empuje la rodilla hacia fuera.

--- PRECAUCIÓN ---

Practique esta postura contra una pared hasta encontrar la alineación correcta. Concéntrese en permanecer todo lo bidimensional que le sea posible. Cuando mire hacia arriba, mantenga el cuello estirado para evitar subir el mentón. Gire el mentón hacia el hombro.

Los talones deben estar alineados entre sí y los dedos de los pies deben apuntar hacia delante

1 Partiendo de la postura de la montaña, separe los pies 1,3 m y extienda los brazos rectos hacia los lados. Los pies deben estar separados de modo que queden en la vertical de las palmas de las manos.

Apoye la mano izquierda en la parte baja de su espalda

2 Doble la rodilla derecha hasta que el muslo y la pantorrilla formen un ángulo recto. La pierna izquierda debe mantenerse recta y extendida. Gire la cabeza para recorrer con la mirada toda la longitud de su brazo derecho extendido y baje el brazo izquierdo hasta colocárselo en la espalda.

3 Espire y apoye la mano derecha en el suelo, junto a la cara interna o externa del pie. Intente apoyar la palma en el suelo pero empiece sólo con las yemas de los dedos. Asegúrese de que los talones siguen alineados y presione el suelo con toda la planta del pie izquierdo. Mientras inspira, eche el hombro izquierdo hacia atrás, expanda el pecho y mire hacia el techo. Imagine que está practicando la postura contra una pared y procure mantener el cuerpo lo más bidimensional posible.

55

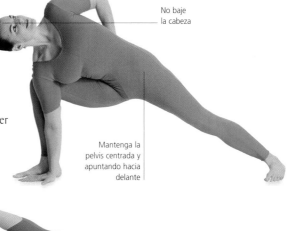

No baje la cabeza

Mantenga la pelvis centrada y apuntando hacia delante

4 Espire y estire el brazo izquierdo hacia arriba por encima de su cabeza, de modo que forme una línea diagonal con la pierna más retrasada. Gire la palma de la mano izquierda hacia abajo y mire por debajo del brazo izquierdo hacia el techo. Mantenga la planta del pie más retrasado firmemente pegada al suelo.

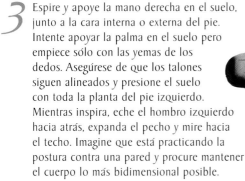

✳ *Aguante así durante 10 respiraciones.*

▷ *Repita la secuencia hacia el otro lado y vuelva a la postura de la montaña.*

Prasarita Padottanasana

Extensión frontal (II)

Esta postura es una ampliación de la versión para principiantes (véase pág. 24) en una secuencia de movimientos compuestos por dos variantes de la postura básica. A medida que progrese, intente sincronizar las posturas con la respiración para pasar fluidamente de una variante a la siguiente.

Abriendo más las piernas e intensificando la flexión hacia delante, esta secuencia de movimientos encadenados ejercita y tonifica los músculos de las piernas y aumenta la flexibilidad de la parte baja de la espalda y de las caderas. En particular, la primera variante añade un estiramiento de los brazos que estimula una mayor flexibilidad de los hombros y de la parte superior de la espalda. El mayor grado de inversión aporta también una beneficiosa calma mental y emocional. Empiece siempre la práctica de las variantes ampliadas realizando la *asana* básica completa una vez; es importante dominar previamente la postura básica antes de pasar a las variantes más avanzadas.

56

Postura básica
Extensión frontal (I)

Ambos pies deben apuntar hacia delante

Mantenga los brazos rectos pero no trabe los codos

1 Practique la *asana* básica para principiantes completa una vez y vuelva a la postura de la montaña. Separe los pies 1,3 m y extienda los brazos rectos hacia los lados, de modo que los pies queden justo bajo las palmas de las manos. Mantenga la pelvis bien centrada para conseguir un punto de partida estable.

2 Espire y entrelace los dedos a su espalda. Inspire, tense el abdomen y suba el pecho. Eche las manos hacia atrás para alejarlas de sus nalgas y mire hacia el techo.

3 Espire y flexiónese hacia delante, hasta apoyar la coronilla en el suelo entre sus pies. Relaje los hombros y eche las manos lo más hacia atrás que pueda manteniendo los brazos rectos. Ésta es la primera variante.

✻ *Aguante así durante 5 respiraciones.*

▷ *Inspire y vuelva al paso 1.*

57

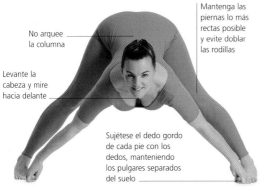

No arquee la columna

Levante la cabeza y mire hacia delante

Mantenga las piernas lo más rectas posible y evite doblar las rodillas

Sujétese el dedo gordo de cada pie con los dedos, manteniendo los pulgares separados del suelo

4 Espire y dóblese hacia delante para extender los brazos y sujetarse el dedo gordo de cada pie con los dedos índice y corazón de la mano correspondiente. Inspire, tire suavemente de los dedos de los pies, suba el pecho, enderece la columna y mire hacia delante.

Debe procurar que sus brazos y antebrazos formen un ángulo recto

5 Espire y vuelva a flexionarse hacia delante hasta apoyar la coronilla en el suelo. Relaje los hombros y mantenga los pulgares separados del suelo. Inspire, tire suavemente del dedo gordo de cada pie y enderece la columna. Ésta es la segunda variante de la postura.

✻ *Aguante así durante 5 respiraciones.*

▷ *Inspire y vuelva al paso 1.*

▷ *Espire y vuelva a la postura de la montaña.*

El árbol (II)

Esta variación intensifica los beneficios de la postura para principiantes (véase pág. 26) llevando el pie levantado a la postura del medio loto. Así se desentumecen mejor las articulaciones de la cadera y de la rodilla. No obstante, requiere una mayor flexibilidad que la postura básica. Practicarla adecuadamente requiere también un alto grado de concentración, por lo que es necesario tomarse su tiempo y no adoptarla precipitadamente. Concéntrese antes de realizar la postura practicando el *drushte* (mirar fijamente un punto concreto) durante unos momentos para alcanzar el estado de calma física y mental. La postura del loto es una postura importante para la meditación (véase pág. 92), y la postura del árbol con el pie en la postura del medio loto desarrolla el equilibrio mental además del físico. Si su elasticidad es buena y ya domina esta postura, puede ampliarla aún más introduciendo una intensa flexión hacia delante sobre el pie de apoyo. El pie levantado se mantiene en medio loto sujetándolo con la mano derecha, mientras que el izquierdo se apoya en el suelo para mayor estabilidad. Esta postura se llama *Ardha Baddha Padangushtasana*, la postura de la pinza en medio loto invertida. Combina los beneficios calmantes para la mente de la inversión y además ejerce un masaje sobre los órganos abdominales. Se trata de una postura mucho más avanzada y se incluye aquí para indicar maneras en las que pueden combinarse las posturas a medida que progresa. Sin embargo, no debería intentarla hasta se haya ejercitado mucho y sienta mucha confianza.

Postura básica
El árbol (I)

58

 Aflojar las articulaciones
Colocar la pierna levantada en la postura del medio loto ayuda a desentumecer las articulaciones de la cadera, de la rodilla y del tobillo, de modo que aumenten la flexibilidad y la fuerza.

——— PRECAUCIÓN ———

Es esencial trabajar a partir de la cadera y no forzar la rodilla.

Si tiene las piernas y rodillas muy tensas, balancee ligeramente las piernas y sacuda los pies para relajarlos antes y después de adoptar la postura.

Si la postura ejerce demasiada presión sobre sus rodillas, siga con la postura básica hasta que esté a punto para pasar a la avanzada.

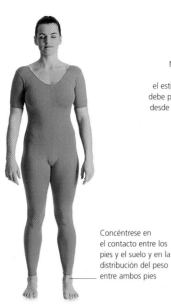

No fuerce
la rodilla,
el estiramiento
debe producirse
desde la cadera

Los hombros y las
caderas deben estar
bien centrados para
mantener el cuerpo
erguido

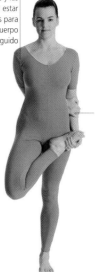

Sujétese el codo
izquierdo con
la mano derecha
para fijar
la postura

Concéntrese en
el contacto entre los
pies y el suelo y en la
distribución del peso
entre ambos pies

1 Empiece separando los pies en línea con sus caderas y relajando los brazos caídos a los costados. Cierre los ojos y procure permanecer inmóvil, concentrándose en la distribución equitativa del peso entre ambos pies. Con la práctica llegará a permanecer inmóvil con los ojos cerrados en la postura de la montaña.

2 Abra los ojos y mire un punto situado a unos 4,5 m frente a usted durante unos momentos. Levante el pie derecho y agárrelo con la mano, subiéndolo lo máximo posible por su muslo izquierdo. Inspire y suba suavemente el talón derecho hacia el ombligo. Espire y, mientras lo hace, baje con cuidado la rodilla derecha hacia el suelo.

3 Mantenga el pie derecho en esa posición sujetándolo con la mano izquierda. Pásese la mano derecha por detrás y sujétese el codo, el antebrazo o la rodilla izquierdos. Yérgase y expanda el pecho.

✱ *Aguante así durante 10 respiraciones.*

▷ *Deshaga la postura y vuelva a la postura de la montaña.*

▷ *Repítala hacia el otro lado.*

59

4 Para pasar a la postura de la pinza en medio loto invertida, a partir el paso 2 sujétese el pie derecho con la mano derecha, inclínese hacia delante sobre el muslo izquierdo y apoye la mano izquierda en el suelo. No intente este último paso hasta que se sienta totalmente estable y confortable en la postura del árbol (II).

✱ *Aguante así durante 10 respiraciones.*

Relájese lentamente
empezando por las
caderas hasta quedarse
en la postura de la
pinza en pie invertida

El saltador de vallas

Ésta es otra de las variantes de la postura de la pinza que se presentan en la sesión avanzada. Antes de intentar hacerla, hay que practicar siempre las posturas básicas (véanse págs. 28-31). *Triang* significa «tres partes» o «miembros» y hace referencia al pie, la rodilla y la nalga de la pierna doblada. *Mukhaikapada* significa «mirando hacia un pie» y se refiere a la postura de la pinza lateral. La postura del saltador de vallas desentumece la cadera y la rodilla, tonifica los órganos abdominales y aumenta la afluencia de sangre hacia la pelvis, lo que mantiene sanos los órganos reproductores.

Al presionar el suelo con el empeine del pie y situar el talón de modo que apunte al techo, la postura del saltador de vallas ayuda también a corregir los pies planos, alivia las torceduras de tobillo y mejora la alineación de las rodillas y de las caderas.

Posturas básicas

El bastón (izquierda)
La pinza (derecha)

PRECAUCIÓN ───

Si le parece que se ladea excesivamente hacia la izquierda, apoye la mano izquierda en el suelo a su lado y flexiónese hacia delante sólo con la mano derecha.

Corrija siempre la alineación de su cuerpo practicando las posturas básicas del bastón y la pinza antes de pasar a cualquiera de las variantes más complejas.

▼ *Si tiene las caderas o las rodillas especialmente rígidas, coloque un bloque de yoga de 5 centímetros de grosor o un libro grande bajo su nalga izquierda para practicar la postura.*

DESENTUMECIMIENTO DE LAS ARTICULACIONES
Esta postura puede parecer intensa al principio, pero la perseverancia desentumece las rodillas, los tobillos y los pies hasta permitir la zancada ideal del saltador de vallas.

1 Partiendo de la postura del bastón, flexione la pierna derecha hacia atrás para que el empeine de su pie derecho se apoye en el suelo bajo el borde externo de su nalga derecha. Sitúe la pierna doblada de modo que, si es posible, ambas nalgas estén en contacto con el suelo y ambas rodillas se toquen.

2 Corrija su postura introduciendo el pulgar de la mano derecha bajo la rodilla y haciendo girar el músculo de la pantorrilla hacia fuera. Levante la nalga izquierda de lado para asegurarse de que se coloca en la postura correcta sobre el hueso isquion. Inspire, extienda los brazos hacia el techo y mírese los pulgares.

3 Espire, extienda los brazos al frente y sujétese el tobillo o el talón izquierdo con ambas manos, si es posible. Inspire, tire del talón, suba el torso y enderece los brazos.

Mire hacia delante mientras estira el torso

Flexione los dedos de los pies hacia el techo

Mantenga los muslos paralelos entre sí

61

4 Espire, inclínese hacia delante y apoye el mentón sobre la rodilla izquierda. Mantenga la columna recta y los hombros al mismo nivel. Intente bajar la nalga derecha hasta el suelo sin forzar la rodilla.

✱ *Aguante así durante 10 respiraciones.*

▷ *Vuelva al paso 3.*

▷ *Espire, relájese y repítala hacia el otro lado.*

Relaje los hombros y concéntrese en liberar la tensión de las paletillas

La pinza en medio loto

Si tiene las caderas flexibles, quizá le parezca que esta variante, que coloca las piernas alternativamente en medio loto, es una postura cómoda para trabajar. Otras personas requerirán más práctica, puesto que no hay que forzar el cuerpo para adoptar esta postura. Colocar los pies en la postura del medio loto estimula el desentumecimiento profundo de las articulaciones de la cadera, de la rodilla y del tobillo, y con la práctica regular se puede alcanzar la suficiente flexibilidad como para sentarse cómodamente en la clásica postura del loto.

En la postura completa, el brazo derecho se echa hacia atrás, a la espalda, para sujetarse el pie derecho. Así se fija la postura y sirve de palanca para intensificar la flexión. También ayuda a desentumecer la articulación del hombro, además de la cadera. Fijar la postura completa entrelazando las extremidades aumenta la conciencia de la postura física y mejora la coordinación entre los distintos sistemas y aparatos del organismo.

62

──────── PRECAUCIÓN ────────

Corrija siempre la alineación de su cuerpo en la postura del bastón y practique la pinza antes de intentar variantes más difíciles.

En la postura del medio loto es importante colocar el pie bien alto sobre la cadera, con el talón apuntando hacia el ombligo, y sin forzar la rodilla.

▼ *Si la postura avanzada fuerza sus articulaciones, haga la postura de la pinza lateral (véase pág. 32).*

1 Colóquese en la postura del bastón para alinear bien el cuerpo. A partir de ahí, apoye el pie derecho lo más arriba de su muslo derecho que le resulte cómodo sin forzar la rodilla. Inspire, extienda los brazos hacia arriba y mírese los pulgares.

Mantenga los brazos rectos pero no trabe los codos

2 Espire, flexiónese hacia delante y sujétese el tobillo o el talón izquierdo con ambas manos. Intente estirarse al máximo hasta las yemas de los dedos mientras estira los brazos. Al inspirar, tire de su talón, enderece los brazos, expanda el torso y mire hacia arriba.

La columna debe permanecer erguida

Intente echar la rodilla derecha hacia delante y hacia el suelo

Baje el hombro derecho para que esté al mismo nivel que el izquierdo

Agárrese el dedo gordo del pie derecho con los dedos índice y corazón

3 Espire y dóblese hacia delante, manteniendo la columna recta, y acerque el mentón a su rodilla izquierda. Mantenga el pecho elevado y expandido y los hombros relajados. Intente que su hombro derecho esté al mismo nivel que el izquierdo.

✳ *Aguante así durante 10 respiraciones.*

▷ *Inspire y vuelva al paso 2.*

▷ *Vuelva a la postura del bastón y repita la secuencia hacia el otro lado.*

4 A medida que se vuelva más flexible podrá estirarse aún más en la postura completa. A partir del paso 2, espire, coloque el brazo derecho a su espalda y agárrese el pie derecho para mantenerlo en su sitio mientras realiza otra vez la flexión hacia delante, acercando el mentón a la rodilla.

✳ *Aguante así durante 10 respiraciones.*

▷ *Inspire y vuelva al paso 2.*

▷ *Vuelva a la postura del bastón y repita la secuencia hacia el otro lado.*

Torsión de columna sentado (II)

Esta postura, que debe su nombre al sabio yogui Marici, es una mejora de la postura de torsión para principiantes *Matsyendrasana*, la torsión de columna sentado (I) (véase pág. 36). *Marichyasana*, la torsión de columna sentado (II), aumenta el movimiento que se realiza en la columna, lo cual potencia al máximo la flexibilidad de la espalda y estimula el sistema nervioso central.

En el movimiento de torsión tiene varios beneficios para el aparato digestivo, ya que proporciona un saludable masaje a los intestinos y demás órganos abdominales. Además fortalece el cuello, desentumece los hombros y alivia la tensión de las caderas. Por eso es una postura especialmente buena para las personas que pasan gran parte del día en una postura sedente. Al fijar la postura en toda su extensión actúa como palanca para intensificar aún más la torsión. Sin embargo, no hay que intentarlo hasta haber conseguido la suficiente movilidad de columna mediante la postura básica.

Postura básica

Torsión de columna sentado (I)

64

AVANCE CONSTANTE
No se precipite a alcanzar la postura completa, es mejor trabajar de una manera constante y progresiva, teniendo en cuenta las capacidades y necesidades de su cuerpo.

PRECAUCIÓN

Cuando realice la torsión, alargue siempre la columna, levántese para no sentarse sobre el hueso isquion, suba el pecho y desentumezca los hombros.

Mantenga el cuello estirado y relaje los hombros.

El pie de la pierna recta debe estar flexionado y apuntando al techo.

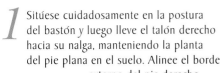

1 Sitúese cuidadosamente en la postura del bastón y luego lleve el talón derecho hacia su nalga, manteniendo la planta del pie plana en el suelo. Alinee el borde externo del pie derecho con la cadera derecha.

No deje que su pie caiga hacia el lado

Encoja la pantorrilla para acercarla al máximo al cuerpo

Mantenga el pie flexionado y apuntando al techo

2 Coloque la mano derecha en el suelo a su espalda para apoyarse. Al espirar, cruce la parte superior del brazo izquierdo por delante de su cuerpo y presione la zona contra el muslo derecho. Tense la pierna más baja y mantenga los dedos del pie izquierdo flexionados hacia atrás.

3 Al inspirar, suba el pecho y enderece la columna. Espire y gire la cabeza para mirar por encima de su hombro derecho. Presione con el codo izquierdo la rodilla derecha para hacer palanca suavemente y girar todo el pecho 90° hacia la derecha.

✱ *Aguante así durante 10 respiraciones.*

▷ *Relájese, repita la postura hacia el otro lado y vuelva a la postura del bastón.*

65

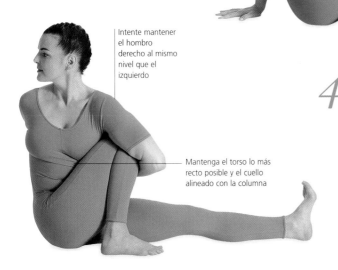

Intente mantener el hombro derecho al mismo nivel que el izquierdo

Mantenga el torso lo más recto posible y el cuello alineado con la columna

4 Cuando haya desarrollado la flexibilidad suficiente en los hombros, rodéese la rodilla derecha con el brazo izquierdo, llevándolo a su espalda y entrelazando los dedos de ambas manos por detrás. Ésta es la postura completa.

✱ *Aguante así durante 10 respiraciones.*

▷ *Relájese, repítala hacia el otro lado y vuelva a la postura del bastón.*

Baddha Konasana
La mariposa

La traducción literal del nombre sánscrito *Baddha Konasana* es «postura del ángulo fijado». Sin embargo, esta postura se conoce más comúnmente como postura de la mariposa porque el ángulo de las piernas, flexionadas por las rodillas, con los muslos ejerciendo presión hacia el suelo y encogidos al máximo hacia la pelvis, recuerda las alas desplegadas de una mariposa.

Esta postura tiene un efecto de estiramiento en la cara interior de los muslos y en las caderas y estimula la afluencia de sangre hacia la pelvis, el abdomen y la espalda. Ayuda a contrarrestar los efectos negativos de una vida sedentaria manteniendo la salud de la columna, de los riñones y (en los hombres) de la glándula prostática. También es una postura beneficiosa para las mujeres porque ayuda a mantener un ciclo menstrual sano, protege contra los problemas que afectan al tracto urinario y es útil durante el embarazo, ya que alivia el dolor de espalda y desentumece las caderas, preparando el cuerpo para dar a luz.

―――――― PRECAUCIÓN ――――――

Mantenga la columna recta cuando se incline hacia delante para no forzar la parte superior de la espalda. Mantenga la parte delantera del pecho elevada y los hombros relajados cuando se doble por las caderas.

Sea conciente de su respiración mientras practica la postura, asegurándose de inspirar y espirar regular y profundamente.

66

EL ZAPATERO REMENDÓN
El profundo estiramiento de las caderas en esta postura compensa las secuelas de una vida sedentaria. Por esta razón, los zapateros de la India ejercen su profesión en esta postura, y de ahí viene el nombre alternativo de la postura.

Estírese desde
la coronilla para
mantener la
columna recta

Asegúrese
de no encorvar
los hombros

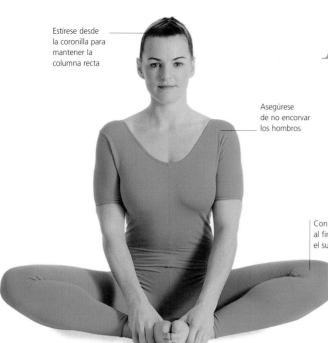

1 Partiendo de la postura del bastón, junte las plantas de los pies dejando caer las rodillas hacia los lados. Sujétese los pies con las manos y lleve delicadamente los talones hacia su ingle sin forzarlos. Inspire, suba el pecho, enderece la columna y baje ligeramente el mentón. Siga tirando suavemente de sus pies y haga presión con las rodillas hacia el suelo.

✳ *Aguante así durante 10 respiraciones.*

Con la práctica regular,
al final será capaz de tocar
el suelo con las rodillas

Intente
no encorvar
los hombros

Para evitar encorvarse
en esta postura, mire
hacia delante y no
baje la cabeza

2 Inspire, suba el pecho y mire hacia arriba. Espire y dóblese hacia delante a partir de la parte baja de la espalda. Eche el mentón hacia delante y hacia abajo, hacia sus pies, hasta donde le resulte cómodo. Mire hacia arriba y proyecte el torso hacia delante.

Con el tiempo
podrá bajar
el mentón
hasta el suelo

✳ *Aguante
así durante
10 respiraciones.*

Junte las
piernas para
aflojar el
estiramiento

3 Para compensar esta postura, inspire, enderece la espalda, junte las rodillas con fuerza y relájese unos momentos antes de proseguir la práctica.

Upavistha Konasana
El ángulo

Traducido directamente del sánscrito, *Upavistha Konasana* significa «postura en ángulo sentado». Así se indica el amplio desentumecimiento de las caderas y del sacro en esta postura, que estimula la afluencia de sangre hacia la pelvis. Al igual que la postura de la mariposa (véase pág. 66), ayuda a mantener sano el sistema reproductor femenino y es particularmente beneficioso para las mujeres que sufren menstruaciones muy dolorosas.

---- PRECAUCIÓN ----

No se fuerce mientras practica esta postura. Respire profundamente, mantenga la columna lo más recta posible y eleve el hueso isquion del suelo cuando se incline.

Cuando se familiarice con la postura y sea consciente de su propio grado de flexibilidad, quizá desee practicar una variante de esta postura con otra persona. Su compañero también debe practicar yoga y usted debe asegurarse de que ambos son conscientes de sus respectivas limitaciones físicas. Sitúese frente a su compañero y abra bien las piernas, manteniendo los pies flexionados y en contacto con los de su compañero. Junte las manos y lentamente efectúe un movimiento circular, primero en una dirección y luego en la otra, como si estuviera revolviendo un gran caldero. Preste atención a los movimientos y a las aptitudes de su compañero y concéntrese en su propia respiración mientras practica la postura, para poder alcanzar un movimiento fluido y grácil o *vinyasa*. No fuerce el cuerpo hasta adoptar la postura completa en toda su extensión, ya que se necesita tiempo para desarrollar la flexibilidad requerida. La práctica ligera y constante le proporcionará los resultados más beneficiosos y seguros.

TENDONES DE LAS CORVAS SANOS
En esta postura, las piernas se mantienen rectas y los pies flexionados, de manera que los tendones de las corvas y de la parte baja de la espalda realizan un estiramiento profundo.

1 Siéntese en el suelo y abra las piernas extendidas al frente. Sepárelas lo máximo posible. Mantenga la cara posterior de las piernas contra el suelo y los dedos de los pies flexionados de modo que apunten al techo. Coloque las manos a su espalda y empuje sus nalgas hacia arriba y atrás.

Empiece en la postura del bastón para asegurarse de que la columna se mantiene erguida y el cuerpo está correctamente alineado

Es importante sentarse bien sobre el hueso isquion

Mantenga los dedos de los pies flexionados apuntando al techo

Tense los muslos

La región central de la espalda debe permanecer erguida

Estire su torso hasta alcanzar la postura

Estírese completamente, incluso los dedos de las manos.

2 Apoye ambas manos en el suelo frente a usted. Avance lentamente sobre los dedos para acercar el pecho al suelo, suba el torso y mire hacia arriba. Al espirar, flexiónese hacia delante sin arquear la columna y proyecte el mentón al frente lo más cerca posible del suelo. Suba la cabeza y mire hacia delante.

✳ *Aguante así durante 5 respiraciones.*

3 Inspire, suba el pecho y mire hacia arriba. Espire, extienda los brazos y agárrese los tobillos o el dedo gordo de cada pie con los dedos índice y corazón de la mano correspondiente. Vuelva a inclinar el pecho hacia el suelo y mire hacia delante. Inspire, tírese suavemente de los dedos de los pies y mire hacia arriba.

✳ *Aguante así durante 5 respiraciones.*

4 A medida que desarrolle la flexibilidad de la parte inferior de la espalda podrá sujetar los bordes exteriores de los pies y acabar apoyando el pecho en el suelo, aunque eso requiere una considerable cantidad de práctica. Espire, deshaga esta postura y vuelva a juntar las piernas.

El perro

Esta postura recuerda a la de un perro estirándose apoyado sobre las patas delanteras y extendiendo al máximo las traseras, y de ahí viene su nombre, que se traduce como «hacia arriba» (*urdhva*), «de cara» (*mukha*) y postura del perro (*svanasana*). Puede considerarse una postura compañera de la postura del perro invertido (véase pág. 40), ya que potencia una profunda flexión hacia dentro de la columna y estira toda la parte delantera del cuerpo, del mentón a los pies. También forma parte de la secuencia del saludo al sol (véase pág. 50).

Postura básica

La cobra

70

─── PRECAUCIÓN ───

Estírese desde las puntas de los dedos de los pies, subiendo por las piernas hasta la columna para evitar la tensión en la parte inferior de la espalda.

No encorve los hombros y procure imprimir una grácil curva a la columna manteniendo los brazos firmes y rectos.

Compense esta postura con la contrapostura de la hoja o tumbándose sobre el estómago para liberar la tensión.

MOVIMIENTO FLUIDO
Esta postura forma parte del calentamiento del saludo al sol dinámico, y la práctica regular ayuda a realizar toda la secuencia de un modo más fluido y controlado.

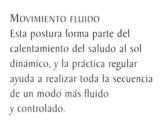

1 Empiece poniéndose
a gatas, con los
codos justo en
la vertical de
los hombros.
Mantenga los
dedos extendidos,
con el dedo
corazón apuntando
hacia delante.

Cuando haya
desarrollado la
fuerza suficiente
podrá levantarse
hasta adoptar esta
postura a partir de
una posición boca
abajo

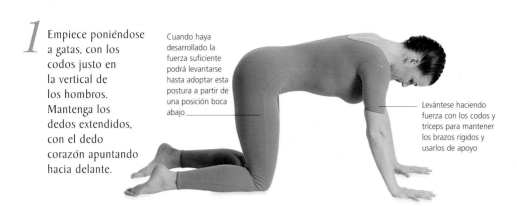

Levántese haciendo
fuerza con los codos y
tríceps para mantener
los brazos rígidos y
usarlos de apoyo

2 Mantenga las manos en esa posición y los brazos tensos. Mueva los pies hacia
atrás, uno por uno, estirando cada pierna hasta adoptar la postura
de la plancha inclinada o *Caturanga Dandasana*, que
también es parte del saludo al sol. Mantenga
los pies separados en línea con sus
caderas y con los dedos encogidos
y en contacto con el
suelo.

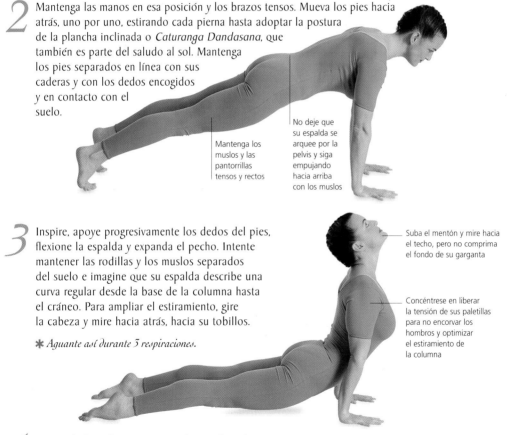

Mantenga los
muslos y las
pantorrillas
tensos y rectos

No deje que
su espalda se
arquee por la
pelvis y siga
empujando
hacia arriba
con los muslos

71

3 Inspire, apoye progresivamente los dedos del pies,
flexione la espalda y expanda el pecho. Intente
mantener las rodillas y los muslos separados
del suelo e imagine que su espalda describe una
curva regular desde la base de la columna hasta
el cráneo. Para ampliar el estiramiento, gire
la cabeza y mire hacia atrás, hacia su tobillos.

✳ *Aguante así durante 5 respiraciones.*

Suba el mentón y mire hacia
el techo, pero no comprima
el fondo de su garganta

Concéntrese en liberar
la tensión de sus paletillas
para no encorvar los
hombros y optimizar
el estiramiento de
la columna

4 Espire, deshaga la postura y túmbese sobre el estómago.
Coloque ambas manos bajo la cabeza y apoye la mejilla en ellas.

✳ *Repose durante 5 respiraciones.*

▷ *Vuelva al paso 1.*

▷ *Repita toda la secuencia 2 veces.*

Alterne la mejilla que
descansa sobre las
manos cuando repita
la secuencia

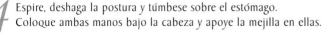

La langosta

En esta postura se mueve el cuerpo para parecer una langosta posada en el suelo. De ahí viene el nombre *Salabhasana*, que significa «postura de la langosta». Proporciona un estiramiento fantástico para la espalda y eso la convierte en una contrapostura ideal para cualquiera de las variantes de la pinza de esta sesión. Esta postura potencia la elasticidad de la columna y es particularmente beneficiosa para las personas que sufren hernias discales o dolores de espalda generalizados.

La postura de la langosta tiene muchos beneficios internos: la expansión del pecho puede ser extremadamente útil para las personas con asma u otros problemas respiratorios, mientras que el balanceo sobre la parte delantera del abdomen ayuda a digerir, libera los gases retenidos y estimula el eficaz funcionamiento de la vejiga y de la glándula prostática. Al principio quizá le parezca que no puede subir las piernas demasiado alto. Con la práctica regular y continuada aumentará el grado de elevación al que puede llegar.

--- PRECAUCIÓN ---

▼ *Si tiene dolores lumbares, mantenga los dedos de los pies unidos pero separe ligeramente los muslos y doble las rodillas. Así aliviará la presión de la parte baja de la espalda.*

No practique la postura de la langosta si está embarazada.

72

Tómese su tiempo
La postura de la langosta es un estiramiento mucho más intenso de lo que parece. Siga los pasos escrupulosa y lentamente para no forzar la espalda.

1 A partir de la postura de la hoja, túmbese boca abajo. Ruede sobre el costado y cierre las manos en puños, después júntelas ante usted. Vuelva a rodar hasta tumbarse de bruces con las manos debajo del cuerpo, introduzca los codos debajo del tronco y apoye el mentón suavemente en el suelo.

Mantenga los codos bien introducidos bajo su cuerpo

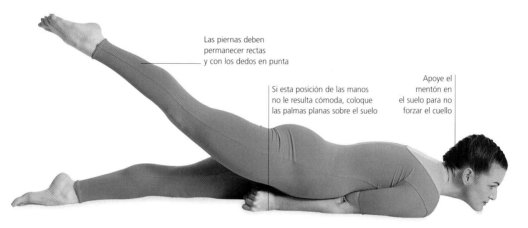

Las piernas deben permanecer rectas y con los dedos en punta

Si esta posición de las manos no le resulta cómoda, coloque las palmas planas sobre el suelo

Apoye el mentón en el suelo para no forzar el cuello

73

2 Inspire, presione el suelo con las manos y levante la pierna derecha lo más alto que pueda. Ponga los dedos de los pies en punta y procure no balancearse ni inclinar las caderas.

✳ *Aguante así durante 4 respiraciones.*

▷ *Relájese y repita la postura con la otra pierna.*

▷ *Descanse brevemente y repítala otra vez en cada lado.*

Continúe con los dedos de los pies en punta y los músculos de la pantorrilla y el muslo tensos

3 Encoja ligeramente los codos bajo su cuerpo y levante ambas piernas al mismo tiempo. El grado de elevación del que es capaz aumentará enormemente con la práctica.

✳ *Aguante así durante 5 respiraciones profundas.*

▷ *Espire y vuelva a la postura de la hoja.*

✳ *Descanse durante 10 respiraciones.*

Dhanurasana

El arco

Esta postura se llama así porque
se usan los brazos para formar una
cuerda de arco que eleva el torso
y las piernas simultáneamente,
produciendo una profunda curvatura
hacia atrás de la columna.

Esta postura fortalece
los músculos de la espalda y estira
la parte delantera del cuerpo en toda
su longitud, desde el mentón a los
dedos de los pies. Los hombros se

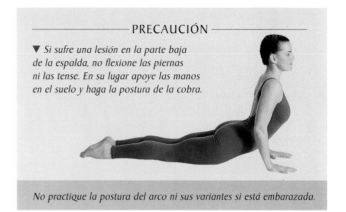

— PRECAUCIÓN —

▼ *Si sufre una lesión en la parte baja
de la espalda, no flexione las piernas
ni las tense. En su lugar apoye las manos
en el suelo y haga la postura de la cobra.*

No practique la postura del arco ni sus variantes si está embarazada.

echan hacia atrás para expandir el pecho y así mejorar la capacidad pulmonar. Idealmente,
las rodillas y los pies deberían mantenerse unidos, pero eso requiere mucha práctica. En su lugar,
concéntrese en empujar con el abdomen contra el suelo mientras levanta las nalgas. Intente llegar
a la postura y deshacerla lentamente para evitar cualquier movimiento brusco o espasmódico que
pudiera perjudicar a su columna. Practique esta postura tras intensos estiramientos o torsiones de
columna, ya que la flexión de
la espalda en la postura
del arco se apoya
tanto en los brazos
como en el abdomen.

TÉCNICA CORRECTA
Sienta el estiramiento de toda
la columna vertebral. Intente
mantener los brazos relajados.

Mantenga los muslos en contacto con el suelo subiendo las piernas desde la rodilla

Apoye la frente suavemente en el suelo

1 Túmbese sobre el estómago y apoye la frente en el suelo. Con los brazos atrás, sujétese los tobillos o, si no llega hasta ellos, agárrese los pies, manteniendo los dedos unidos.

Suba el pecho y la cabeza y mire hacia arriba

2 Tire de sus pies lenta y suavemente, al tiempo que sube el pecho y levanta la cabeza. Mire justo al frente y mantenga los brazos rectos en esta postura.

Mantenga los brazos rectos pero no trabe los codos

No deje que las rodillas se separen más que la anchura de sus caderas

Eche los hombros hacia atrás para expandir el pecho

3 Inspire, empuje hacia atrás con los pies y permita que sus rodillas y muslos se eleven del suelo.

✳ *Aguante así durante 5 respiraciones.*

▷ *Espire y vuelva al paso 1.*

▷ *Descanse brevemente y repita los pasos 2 y 3 dos veces.*

✳ *Descanse en la postura de la hoja durante 10 respiraciones.*

Sobre la cabeza

Esta revitalizadora inversión proporciona una sensación de ligereza y alborozo, a medida que la sangre rica en oxígeno riega el cerebro. Esta poderosa postura tiene muchos efectos positivos y curativos y a menudo se llama «el rey de todas las *asanas*» debido a sus numerosos y diversos efectos mentales, emocionales y físicos.

Sirsasana, la postura sobre la cabeza, nutre el cerebro y en particular las glándulas pituitaria y pineal, que son las responsables de los niveles de energía y vitalidad normales. Muchas personas creen que la práctica regular de esta postura agudiza la capacidad intelectual, aumenta la memoria y potencia la capacidad de concentración. Esta inversión también proporciona beneficios físicos: depura los órganos internos al devolver la sangre al corazón, calma el tracto digestivo y alivia los trastornos intestinales, así como refuerza el aparato respiratorio y reactiva la circulación. También es una postura beneficiosa en caso de varices. La postura sobre la cabeza es intensa y quizá requiera algún tiempo dominarla. Quizá le resulte útil erguirse progresivamente hasta adoptar la postura completa concentrándose en superar primero cada paso, en lugar de abordar toda la secuencia en conjunto. La perseverancia con esta estimulante *asana* se verá recompensada por un mayor sentido del equilibrio, tanto físico como psicológico.

76

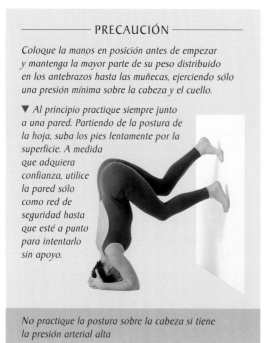

PRECAUCIÓN

Coloque la manos en posición antes de empezar y mantenga la mayor parte de su peso distribuido en los antebrazos hasta las muñecas, ejerciendo sólo una presión mínima sobre la cabeza y el cuello.

▼ *Al principio practique siempre junto a una pared. Partiendo de la postura de la hoja, suba los pies lentamente por la superficie. A medida que adquiera confianza, utilice la pared sólo como red de seguridad hasta que esté a punto para intentarlo sin apoyo.*

No practique la postura sobre la cabeza si tiene la presión arterial alta

APTITUD PROGRESIVA
Se debería practicar esta postura sólo después de dominar la media vela, ya que la postura sobre la cabeza es la más intensa de las posturas invertidas de esta sesión.

1 Arrodíllese y apoye los antebrazos y los codos frente a usted (rodee sus codos con los dedos sin apretar hasta encontrar la separación correcta). Manteniendo los codos en esta posición, apoye las manos en el suelo. Entrelace los dedos, con las palmas abiertas. Apoye la coronilla en el suelo y empuje firmemente con la parte posterior la cabeza contra las palmas abiertas.

3 Cuando haya dominado la primera etapa, acerque lentamente las rodillas un poco más a su pecho y suba los talones hacia sus nalgas. Ésta es la segunda etapa.

2 Levante las rodillas del suelo y apóyese sólo con la punta de los dedos, descargando el máximo peso posible sobre los antebrazos. Avance los pies hacia su rostro y deje que las caderas se desplacen hacia atrás para mantener el cuello alineado con la columna. Desplace su peso de modo que pueda subir las piernas hasta aproximadamente 5 cm del suelo.

Muévase siempre lentamente y nunca intente colocarse en esta postura de golpe

Mantenga las rodillas ligeramente flexionadas mientras sus pies avanzan hacia su rostro

No deje que sus codos se separen

4 Cuando domine la segunda etapa, suba las rodillas flexionadas hacia el techo y deje que sus pies cuelguen a su espalda. Ésta es la tercera etapa.

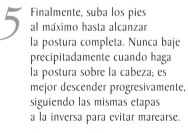

Continúe con la columna recta para no perder el equilibrio

5 Finalmente, suba los pies al máximo hasta alcanzar la postura completa. Nunca baje precipitadamente cuando haga la postura sobre la cabeza; es mejor descender progresivamente, siguiendo las mismas etapas a la inversa para evitar marearse.

✱ *Aguante así durante 30 respiraciones.*

▷ *Descanse en la postura de la hoja durante 15 respiraciones.*

Relaje el rostro, mantenga los hombros relajados y respire profundamente

77

Sarvangasana to Halasana
De la vela al arado

Al igual que la postura sobre la cabeza (véase pág. 76), *Sarvangasana* o la postura completa de la vela tiene una amplia gama de efectos rejuvenecedores: revitaliza los órganos internos, relaja la mente, mejora la concentración y proporciona una profunda inversión que actúa como un tónico para todo el organismo. La postura de la vela se considera a menudo la compañera de la postura sobre la cabeza y en consecuencia se llama «la reina de todas las *asanas*». Partiendo de la postura de la vela se pasa progresivamente a la postura del arado bajando las piernas por encima de la cabeza. Así se potencia la flexibilidad de la columna, se alivia la tensión de los hombros, la circulación mejora y el abdomen recibe un buen masaje. No debe intentar esta secuencia hasta haber dominado la postura de la media vela para principiantes (véase pág. 44).

Postura básica

La media vela

pág. 78

PRECAUCIÓN

Procure no descargar el peso en los hombros para no ejercer una presión innecesaria sobre el cuello. Nunca gire la cabeza estando en esta postura.

▼ *Si no puede tocar el suelo con los dedos de los pies en la postura del arado, recoja las piernas y sujétese la espalda firmemente con las manos.*

No practique la postura completa de la vela si tiene la tensión arterial alta.

INVERSIONES TERAPÉUTICAS
Al igual que las demás posturas invertidas, la postura del arado aumenta la afluencia de sangre hacia el cerebro, con lo que mejora la claridad mental y el equilibrio.

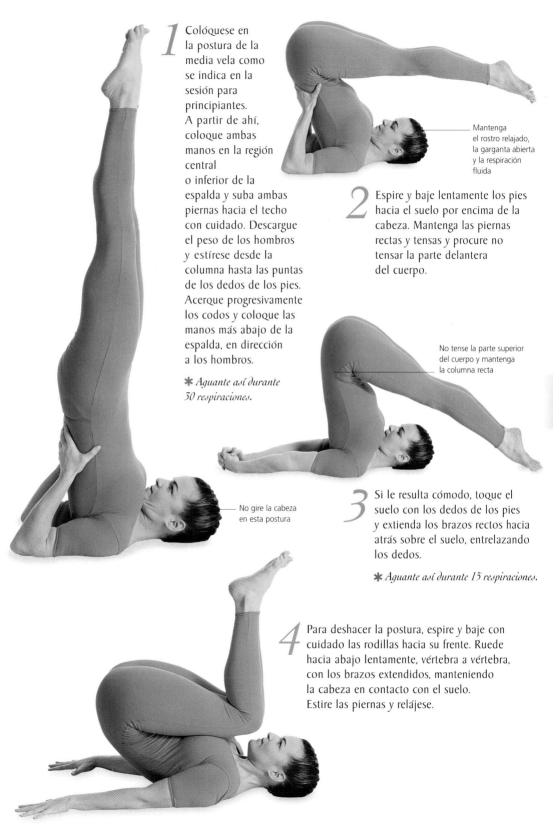

1 Colóquese en la postura de la media vela como se indica en la sesión para principiantes. A partir de ahí, coloque ambas manos en la región central o inferior de la espalda y suba ambas piernas hacia el techo con cuidado. Descargue el peso de los hombros y estírese desde la columna hasta las puntas de los dedos de los pies. Acerque progresivamente los codos y coloque las manos más abajo de la espalda, en dirección a los hombros.

✱ *Aguante así durante 30 respiraciones.*

No gire la cabeza en esta postura

Mantenga el rostro relajado, la garganta abierta y la respiración fluida

2 Espire y baje lentamente los pies hacia el suelo por encima de la cabeza. Mantenga las piernas rectas y tensas y procure no tensar la parte delantera del cuerpo.

No tense la parte superior del cuerpo y mantenga la columna recta

3 Si le resulta cómodo, toque el suelo con los dedos de los pies y extienda los brazos rectos hacia atrás sobre el suelo, entrelazando los dedos.

✱ *Aguante así durante 15 respiraciones.*

4 Para deshacer la postura, espire y baje con cuidado las rodillas hacia su frente. Ruede hacia abajo lentamente, vértebra a vértebra, con los brazos extendidos, manteniendo la cabeza en contacto con el suelo. Estire las piernas y relájese.

El pez (II)

Esta variante ampliada de la postura básica del pez (véase pág. 46) es una contrapostura muy adecuada para los intensos estiramientos y contracciones de columna realizados en la secuencia anterior (véase pág. 78).

La expansión del pecho que proporciona la postura para principiantes se amplía en esta variante flexionando los brazos y subiéndolos por encima de la cabeza, de modo que los codos se apoyen en el suelo. Así se estiran los músculos intercostales y se expande la capacidad de la caja torácica y de los pulmones. La eficacia del aparato respiratorio queda así aumentada, por lo cual es una excelente postura para los atletas.

La postura del pez (II) requiere flexibilidad y es posible que tarde cierto tiempo en dominarla. En cuanto haya desarrollado la fuerza suficiente, quizá desee ampliar aún más la postura con la postura avanzada del pie estirado, que parte de la postura del pez y prosigue levantando del suelo los brazos y las piernas.

Postura básica
El pez (I)

PRECAUCIÓN

Si tiene tortícolis o problemas de cervicales, practique la postura para principiantes o su variante (véase pág. 46).

Intente levantar el pecho del suelo lo máximo posible para expandir la caja torácica y estimular una respiración profunda.

Cuando deje caer la cabeza hacia atrás, manténgala completamente relajada, el rostro incluido.

80

PROGRESIÓN CONSTANTE
Hay que ser flexible para apoyar los hombros en el suelo en esta postura. Acomódese a esta ampliación progresivamente y a su propio ritmo.

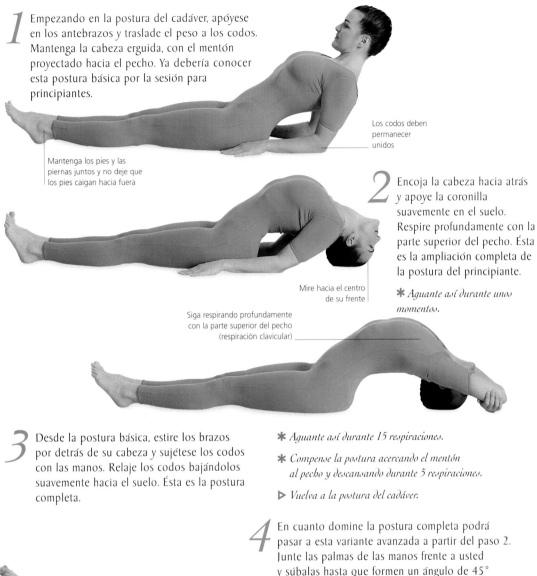

1 Empezando en la postura del cadáver, apóyese en los antebrazos y traslade el peso a los codos. Mantenga la cabeza erguida, con el mentón proyectado hacia el pecho. Ya debería conocer esta postura básica por la sesión para principiantes.

Los codos deben permanecer unidos

Mantenga los pies y las piernas juntos y no deje que los pies caigan hacia fuera

2 Encoja la cabeza hacia atrás y apoye la coronilla suavemente en el suelo. Respire profundamente con la parte superior del pecho. Ésta es la ampliación completa de la postura del principiante.

❋ *Aguante así durante unos momentos.*

Mire hacia el centro de su frente

Siga respirando profundamente con la parte superior del pecho (respiración clavicular)

81

3 Desde la postura básica, estire los brazos por detrás de su cabeza y sujétese los codos con las manos. Relaje los codos bajándolos suavemente hacia el suelo. Ésta es la postura completa.

❋ *Aguante así durante 15 respiraciones.*

❋ *Compense la postura acercando el mentón al pecho y descansando durante 5 respiraciones.*

▷ *Vuelva a la postura del cadáver.*

4 En cuanto domine la postura completa podrá pasar a esta variante avanzada a partir del paso 2. Junte las palmas de las manos frente a usted y súbalas hasta que formen un ángulo de 45° con el suelo. Ponga los dedos de los pies en punta, enderece las piernas y levántelas en el mismo ángulo. Esta postura, conocida como *Uttana Padasana*, no es adecuada para principiantes.

❋ *Aguante así durante 15 respiraciones.*

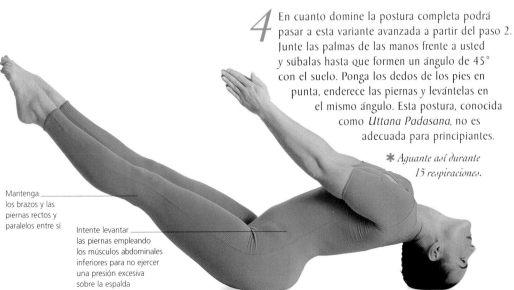

Mantenga los brazos y las piernas rectos y paralelos entre sí

Intente levantar las piernas empleando los músculos abdominales inferiores para no ejercer una presión excesiva sobre la espalda

Técnicas de respiración

Respirar correctamente no sólo es esencial para el bienestar físico, sino que además ayuda a relajar la mente y a canalizar el flujo de energía vital por todo el cuerpo. Aprender a controlar la respiración es por tanto una parte integral de la práctica del yoga.

RESPIRAR BIEN PARA ESTAR EN FORMA *Prana* es el término sánscrito que alude a un tiempo a la respiración y a la vida: es la energía universal que fluye por todos los seres vivos.

Yama significa control, expansión o estiramiento. El *pranayama* es por tanto la extensión y el control no sólo de la respiración, sino también de la vitalidad e incluso de la propia vida. La respiración yóguica equilibra las emociones, despeja la mente y rejuvenece el cuerpo.

El dominio de algunas técnicas de *pranayama* es más difícil que el de otras, y una práctica incorrecta o sin supervisión de los ejercicios de yoga más complejos puede ser perjudicial. Sin embargo, tanto los principiantes como los más experimentados pueden practicar ciertas técnicas simples, siempre que lo hagan gradualmente. Algunas técnicas parecen engañosamente fáciles: si usted se marea o se siente débil, debe interrumpir inmediatamente el ejercicio y respirar con normalidad. Antes de una sesión de yoga puede practicar los ejercicios de respiración que se describen en las páginas siguientes para despejar la mente y reactivar el cuerpo como preparación para el ejercicio físico. No obstante, pueden ser igualmente eficaces fuera de la práctica de yoga para ayudarle a relajarse si sufre de estrés.

Cuando practique el *pranayama*, sus pulmones deben expandirse por completo. Para ello debe sentarse en una posición que mantenga su columna rígida y su pecho relajado, como la postura del sastre, el medio loto o, si puede mantenerla sin molestias, la postura del loto completa. Estas posturas son simétricas y mantienen el contacto con el suelo y, por lo tanto, potencian el equilibrio tanto físico como mental.

SENTIRSE BIEN
Las técnicas de respiración ayudan a conseguir el equilibrio interno y la armonía.

Respiración rítmica

Kapalabhati significa literalmente «cráneo reluciente»: practicar esta técnica hace brillar los ojos y encenderse el rostro, despeja la mente y aumenta la capacidad de concentración. Además de formar parte del *pranayama*, el *kapalabhati* se considera además *kriya* o una práctica depurativa para los pulmones. Durante este ejercicio de respiración dinámica, se expulsa el aire que suele permanecer estancado en los lóbulos pulmonares inferiores y se deja entrar en el cuerpo aire fresco rico en oxígeno, lo cual contribuye a los efectos rejuvenecedores y revitalizadores de la técnica. A medida que mejore gradualmente su capacidad pulmonar, con el tiempo podrá aumentar la secuencia hasta sesenta respiraciones rítmicas por serie. La práctica regular del *kapalabhati* no sólo aumenta la capacidad pulmonar, sino que además es tonificante para los músculos del estómago y beneficioso para el sistema cardiovascular y el hígado. Si se siente débil o le falta el aliento en algún momento, interrumpa la sesión y respire normalmente.

1 Después de varias respiraciones profundas, contraiga rápidamente los músculos del estómago y el diafragma hacia arriba y espire con fuerza por la nariz. Su abdomen se contraerá de forma natural. La espiración debería ser corta, rápida y audible.

2 Cuando inspire y sus pulmones se llenen de aire, su abdomen se proyectará hacia fuera y se expandirá de forma natural. Esta inspiración debería ser silenciosa y ligeramente más prolongada que la espiración anterior.

▷ *Relájese, inspire y repita los pasos 1 y 2 veinte veces.*

3 Relájese y respire normalmente dos o tres veces. Trague saliva, baje el mentón hasta el pecho y contenga el aliento todo el tiempo que le resulte cómodo.

▷ *Relájese y repita el ciclo otras dos veces.*

Respiración victoriosa

Ujjayi pranayama se traduce del sánscrito como «respiración victoriosa» y se refiere al modo en que se hincha el pecho en cada inspiración cuando se realiza este ejercicio, como si de un guerrero se tratara.

El primer principio de la respiración victoriosa es inspirar y espirar por la nariz y canalizar el aire directamente hasta los pulmones. Concéntrese en el ascenso y descenso de sus pecho y en la expansión de la caja torácica hacia los lados y hacia atrás al inspirar. El segundo principio es que la espiración debe ser tan activa como la inspiración. Ambas deben tener la misma duración y usted debe procurar mantener un ritmo continuo, sin detenerse cuando sus pulmones estén totalmente hinchados o deshinchados. El tercer principio es encoger el fondo de la garganta de modo que, al pasar por la laringe y las cuerdas vocales, el aliento produzca un sonido siseante. Esto le garantiza que está utilizando toda su capacidad pulmonar y que absorbe más oxígeno y así aporta energía a su torrente sanguíneo.

Se puede aplicar más energía a sus sesiones de yoga utilizando esta técnica durante la práctica de las posturas. Es especialmente útil durante las secuencias de movimientos *vinyasa*. Empiece de pie en la postura de la montaña y realice varias respiraciones *ujjayi* para despertar su organismo antes de iniciar su sesión habitual.

Contribuya
activamente
al ascenso de su
pecho al inspirar

Al espirar, use los
músculos intercostales
para expulsar de sus
pulmones la mayor
cantidad de aire
posible

UJJAYI Y LA FORMA FÍSICA
Esta técnica es un sistema
de respiración tan eficaz
que puede mejorar el
rendimiento en muchas
actividades deportivas
distintas, además de ser
una parte importante
de la práctica del yoga.

Respiración alterna

Es un ejercicio *pranayama* más avanzado y dominarlo requiere cierta práctica. No obstante, es muy beneficioso para el aparato respiratorio y equilibra el flujo de energía del cuerpo. *Anuloma* significa «con el orden natural», y *viloma*, «ir en contra». Se refiere a cómo la técnica canaliza el aire alternativamente por cada una de las fosas nasales, de modo que la energía se hace fluir equitativamente por los *nadi ida* y *pingala* (véanse págs. 88-89). Más aún, unifica los hemisferios cerebrales izquierdo y derecho, potenciando un funcionamiento más eficaz de todos los aparatos y sistemas del organismo. El aparato respiratorio se beneficia porque las espiraciones son el doble de prolongadas que las inspiraciones, con lo que se expulsan de los pulmones el aire estancado y las toxinas.

En la tradicional postura de manos *vishnu mudra*, los dedos índice y corazón se cierran sobre la palma, dejando extendidos los demás dedos

No se encorve en esta postura y compruebe que su columna está recta

1 Los pasos siguientes componen una serie de respiraciones nasales alternas y deben repetirse un mínimo de tres veces por sesión. Empiece inspirando por la fosa nasal izquierda mientras cuenta hasta dos.

2 Manteniendo la fosa nasal derecha cerrada con el pulgar, tape la izquierda con los dedos meñique y anular. Mantenga esta postura y contenga el aire mientras cuenta hasta ocho.

3 Aparte el pulgar y espire por la fosa nasal derecha mientras cuenta hasta cuatro. Inspire por ese mismo lado, vuelva a cerrar ambas fosas nasales y contenga el aliento mientras cuenta hasta ocho. Espire por la fosa nasal izquierda.

▷ *Vuelva al paso 1.*

Yoga: un estilo de vida

El yoga no es simplemente un sistema de ejercicios: puede ser todo un estilo de vida. Según la filosofía subyacente al yoga, las posturas no constituyen más que una de ocho disciplinas. Para cosechar todos los beneficios del yoga, conviene practicarlo en el contexto de estos otros siete aspectos.

Las posturas descritas en este libro son sólo una etapa preparatoria para el sistema de mayor alcance del hatha yoga. Realizar las *asanas* proporciona muchos beneficios, depura el organismo y conserva la salud. Pero para experimentar los beneficios del yoga en toda su amplitud, las posturas deben practicarse junto con otros aspectos del hatha yoga, que se exponen en las páginas siguientes, como la meditación, la concentración y una alimentación sana.

FILOSOFÍA DEL YOGA El yoga se considera un sistema de vida completo, ya que combina el silencio, la disciplina física y la filosofía práctica. Se originó en la India hace miles de años, pero a pesar de su antigüedad sigue siendo válido en el mundo moderno.

De los numerosos practicantes que han escrito tratados para sistematizar las distintas tendencias del yoga a lo largo del tiempo, el más conocido es el legendario yogui Patanjali. Se cree que este antiguo filósofo y yogui del Himalaya, quien también era una autoridad en medicina y gramática, vivió en un tiempo situado entre los años 400 a. C. y 400 d. C. A Patanjali se atribuye la invención de los aforismos o *sutras* que marcan el camino o *sadhana* hacia la espiritualidad en el yoga. Los hilos de este conocimiento se han transmitido durante generaciones hasta formar la base de la práctica contemporánea del yoga.

EL ÁRBOL SIMBÓLICO El reputado e influyente texto de Patanjali se llama *Yoga sutras*. Todavía se publica en la actualidad y presenta una recopilación de técnicas que permiten alcanzar la plenitud física y espiritual. Según este tratado, el yoga consta de ocho ramas igualmente importantes que se disponen jerárquicamente formando un árbol simbólico.

Las ramas de este árbol están interrelacionadas, pero cada una se recorre secuencialmente para alcanzar el objetivo último del yoga, *samadhi*, un estado creativo y trascendental en el que la mente está completamente quieta. Traducido del sánscrito como «absorción», hace referencia al estado de iluminación de la conciencia y la unión supremas.

LAS OCHO RAMAS DEL YOGA Según las enseñanzas de Patanjali, los estudiantes de yoga deben abordar y conquistar todas las ramas del árbol para alcanzar todo su potencial físico y espiritual, y en consecuencia la paz duradera.

Las primeras dos ramas del árbol de Patanjali constituyen un conjunto de leyes morales o una ética por la cual debe regirse la vida de un yogui. Las abstenciones o *yamas* forman la primera rama y constan de cinco preceptos morales. Promueven los principios de no mentir, no ser violento, no ceder a los deseos carnales, no ser codicioso y no robar. La segunda rama, conocida como *niyamas* u observancias, son las leyes éticas que rigen la conducta del yogui. Incluyen reglas de austeridad, pulcritud, serenidad y dedicación.

Las siguientes dos ramas son la práctica de las posturas de equilibrio (*asanas*) y las técnicas de respiración (*pranayama*). La intensidad de las posturas de yoga enseña a dominar el cuerpo mediante la disciplina física, mientras que los ejercicios de respiración fortalecen el aparato respiratorio y enseñan al yogui a dirigir la fuerza vital o *prana* que todos poseemos. Algunas de estas técnicas de respiración se han explicado ya en las páginas 82-85. El dominio de las primeras cuatro ramas conduce al yogui a las ramas superiores, que se concentran en el ser interior.

LA RUEDA DE LA VIDA
La rueda es una tradicional metáfora oriental del ciclo eterno de la vida. Los ocho radios se corresponden con las ocho ramas del árbol de Patanjali del hatha yoga, que conducen a la iluminación eterna o samadhi.

La quinta rama, retracción del mundo material (*pratyahara*), aparta al yogui de las distracciones externas. Le sigue la concentración (*dharana*), que disciplina la mente hasta que se vuelve unidireccional y se concentra adecuadamente. Así se abre la puerta a la meditación (*dhayana*), la séptima rama, que permite al yogui alcanzar un estado de profunda relajación mental y emocional y concentrarse en el ser interior o alma. El estado de meditación se considera capaz de permitir al yogui ver más allá del *maya*, el poder ilusorio del mundo físico, con el fin de percibir y asimilar una verdad superior. La última rama del árbol de Patanjali es el logro de la unión con lo universal, lo que también se traduce como iluminación. Las últimas tres ramas, *dharana*, *dhayana* y *samadhi* se conocen en conjunto como *samyama*: las ramas interiores.

EL CAMINO DE LA ILUMINACIÓN Según Patanjali, sólo cuando el yogui ha conquistado consecutivamente cada una de estas ocho ramas puede alcanzar la iluminación, y así desarrollar todo su potencial como ser humano. En las páginas siguientes se expone una introducción a la fisiología yóguica y a cómo la energía recorre nuestro organismo; varios ejercicios de concentración y meditación; y consejos sobre cómo alimentar nuestro cuerpo según los principios yóguicos, con el fin de ampliar la práctica del yoga.

87

El cuerpo etéreo

Pranayama Kosha

Según la filosofía del yoga, el cuerpo físico es simplemente el vehículo de una existencia interior o alma. Más importante es el cuerpo etéreo o *pranayama kosha*, que rodea el cuerpo físico a través de sus numerosos canales y centros de energía. Se cree que la práctica del yoga activa las funciones del cuerpo etéreo.

Al igual que las ramas inferiores del árbol de Patanjali se centran en el cuerpo físico, las ramas superiores se concentran en el cuerpo etéreo. La anatomía de este cuerpo se compone de siete centros de energía o *chakras* y más de 70.000 canales de energía o *nadis*. Aprendiendo a controlar la respiración y a través de la disciplina de las posturas de yoga es posible dominar las energías que recorren nuestro cuerpo y finalmente alcanzar todo el potencial espiritual.

LOS SIETE *CHAKRAS* Traducidos del sánscrito como «ruedas» o «círculos», los *chakras* son centros de energía que conectan el cuerpo etéreo con el cuerpo físico. Acumulan toda la energía o fuerza vital (*prana*), cuya liberación se controla mediante la respiración (véanse págs. 82-85).

Cada *chakra* se asocia a una determinada función física o emocional y a menudo también con un elemento. Todos los *chakras*, con excepción del corona, tienen un mantra propio (véanse págs. 92-93).

EL DESPERTAR DE LA ENERGÍA CORPORAL
Los siete *chakras* están situados a lo largo de la línea de *sushumna*, el principal canal de energía. La respiración correcta garantiza que haya un flujo de energía equilibrado por todo el cuerpo.

CHAKRA SAHASRARA (CORONA)

CHAKRA AJNA (TERCER OJO)

CHAKRA VISUDDHA (GARGANTA)

Nadi pingala

Sushumna

Nadi ida

CHAKRA MANIPURA (PLEXO SOLAR)

CHAKRA ANAHATA (CORAZÓN)

CHAKRA SVADISTHANA (SACRO)

CHAKRA MULADHARA (RAÍZ)

Los siete *chakras* principales están situados a intervalos secuenciales a lo largo de *sushumna*, el principal *nadi* o línea energética que forma un camino vertical a lo largo de la columna vertebral. El primer *chakra*, situado en la base de la columna, es el raíz o *muladhara*. Significa «raíz» o «fuente de vida» y se asocia con la supervivencia y con el elemento tierra. El *chakra* sacro o *svadisthana* (que significa «morada del alma») es la sede de la sexualidad y del placer; su elemento es el agua. A continuación viene el *chakra* plexo solar o *manipura*. Se traduce como «sol» y se asocia con el fuego; controla el poder de voluntad, el vigor mental y la solidez emocional del individuo. El *chakra* corazón o *anahata*, que significa «invicto», se asocia con el triunfo del amor y la compasión y su elemento es el aire. El *chakra* garganta o *visuddha* rige la inteligencia y el espíritu creativo. El *chakra* tercer ojo o *ajna* está situado en el centro de la frente y se asocia con la percepción y la conciencia. Situado en último lugar a lo largo del canal de energía *sushumna* está el *chakra* corona o *sahasrara* (véase ilustración a la derecha), que simboliza la eternidad y se abre para alcanzar la sabiduría y la unión espiritual.

MAPA DE LOS CANALES DE ENERGÍA Los *nadis* forman una red de canales de energía que recorre todo el cuerpo etéreo. El *nadi* principal es el *sushumna*, que constituye una columna vertical que se extiende por toda la columna y conecta los siete *chakras*. A ambos lados de *sushumna* hay dos canales secundarios que forman una espiral,

CHAKRA DE LA CORONA
Todos los *chakras* se representan como flores de loto, en las que cada pétalo simboliza un determinado atributo físico o espiritual. El *chakra* de la corona tiene mil pétalos, más que cualquier otro de los ocho *chakras*, y representa el conocimiento y la unión.

el *nadi ida* (que va del lado izquierdo de la base de la columna a la fosa nasal derecha) y el *nadi pingala* (del lado derecho de la base de la columna a la fosa nasal izquierda). Estos dos *nadis* rigen energías opuestas del cuerpo etéreo, a veces descritas en términos de polaridad entre lo masculino y lo femenino, o yin y yang, de un modo similar a como los hemisferios cerebrales derecho e izquierdo controlan distintas funciones del cuerpo físico.

MANTENER EL EQUILIBRIO DE LA ENERGÍA Según la mayoría de las filosofías orientales, un desequilibrio entre estas energías masculina y femenina puede afectar al bienestar físico y emocional. Las posturas y técnicas de respiración, como la respiración alterna (véase pág. 85) ayudan a estimular la actividad de los *nadis ida* y *pingala*, con lo que se garantiza un flujo de energía equivalente y equilibrado por ambos lados del cuerpo. Los *chakras* pueden estar abiertos o cerrados. Cuando se practican las posturas y técnicas de respiración, la fuerza vital o *prana* recorre el cuerpo etéreo y estimula los sucesivos *chakras* abriendo y liberando su energía. La energía de cada *chakra* se absorbe y asciende hasta el *chakra* corona, donde se fusiona con un estado supremo de conciencia y el practicante de yoga alcanza un estado de iluminación espiritual. Aunque usted no sea consciente de estos sistemas energéticos, este flujo de energía se pone en movimiento inconscientemente con la práctica constante y coherente de las *asanas* y el *pranayama* del yoga.

89

La concentración

Con el fin de alcanzar el objetivo último del yoga –la iluminación–, debemos hacernos inmunes a las distracciones provocadas por nuestros sentidos físicos. Sin embargo, apartar la mente por completo de sus preocupaciones materiales requiere una gran capacidad de concentración.

La práctica de las *asanas* y el *pranayama* enseña disciplina física. Esto ayuda a moderar los deseos del cuerpo que de lo contrario impiden que un individuo alcance la tranquilidad emocional. Es necesario dominar las posturas físicas y las técnicas de respiración antes de pasar a las ramas superiores del árbol de Patanjali (véase pág. 87). Estas ramas son el retraimiento o *pratyahara*, *dharana* o concentración y *dhayana* o meditación.

El antiguo texto hindú de los *Upanisads* describe la mente como un carro tirado por caballos salvajes que deben ser frenados y controlados. El clamor de nuestros deseos físicos puede desviar de su rumbo nuestro carro y sólo mediante la disciplina física y mental podemos regresar al camino recto.

La concentración mantiene la mente en su rumbo hacia el estado ideal del *samadhi*. Como la mente se distrae con facilidad, quizá prefiera probar una técnica de concentración tradicional como la respiración o mirar fijamente un estímulo visual (técnica conocida como *tratak*), tal como se describe en la página 91.

MIRAR FIJAMENTE UNA VELA
La práctica regular de *tratak* mejora
la vista, ya que limpia los ojos
de polvo y otros contaminantes,
y estimula el cerebro.

OBSERVACIÓN DE LA RESPIRACIÓN Es una de las técnicas de concentración más sencillas; consiste en dedicar dos o tres minutos a concentrarse en las sensaciones físicas y en el ritmo de la respiración a medida que se hace más lenta y profunda. El mayor aporte de oxígeno relaja el cuerpo, calma los pensamientos y aumenta la conciencia de la relación entre el cuerpo y la mente. El objetivo de este ejercicio es concentrarse en las sensaciones de la nariz, de la boca, de los pulmones y del abdomen al inspirar y espirar con regularidad. No intente forzar un ritmo para su respiración, limítese a observar su cadencia y sus pausas naturales. Contar las inspiraciones y espiraciones en grupos de cinco o diez también ayuda a mantener la concentración en la respiración y ayuda a evitar las distracciones.

USO DEL *YANTRA*
Puede realizarse el *tratak* utilizando un objeto o una imagen visualmente impactante, como un *yantra*, palabra sánscrita que significa «instrumento». Estos tradicionales símbolos geométricos proporcionan una forma concreta a un concepto abstracto. Así, mientras el individuo se concentra en el *yantra*, su mente se dirige y centra en la imagen y el concepto que ésta representa.

CONCENTRARSE EN UN ESTÍMULO VISUAL Otro ejercicio de concentración es mirar fijamente un estímulo visual con el fin de dirigir la mente hacia un único punto. Esta técnica se conoce como *tratak* y se realiza tradicionalmente contemplando la llama de una vela sin apartar la vista. La luz crea una fuerte impresión en el ojo y la mente puede retener la imagen fácilmente cuando se cierran los ojos. Sin embargo, requiere disciplina mantener la mirada fija sin dejar que los ojos y la mente se desvíen, al tiempo que se retiene la imagen mental cuando éstos se cierran. Por ello, el *tratak* es una eficaz manera de mejorar la capacidad de concentración. También puede realizarse utilizando una imagen significativa y visualmente impactante, como un *yantra* (véase ilustración). Los tradicionales motivos detallados y multicolores

de estos símbolos provocan un impacto en el ojo similar al de la llama de una vela y constituyen una imagen más interesante y estimulante para retener mentalmente con los ojos cerrados.

CÓMO PRACTICAR *TRATAK* Sitúe una vela encendida a unos 90 cm de sus ojos y practique la observación de la respiración durante unos minutos hasta que note que su respiración y su ritmo cardíaco se hacen más lentos y regulares. Abra los ojos y mire fijamente la llama durante unos dos minutos. Intente no desenfocar la vista ni dejar que su atención se distraiga: la idea es permanecer concentrado mientras contempla con atención la llama hasta que su imagen se haga completamente absorbente. Parpadee cada vez que lo necesite y cierre los ojos si empiezan a lagrimear.

Expulse todos los pensamientos que se inmiscuyan y concéntrese únicamente en la llama. Al cabo de dos o tres minutos, cierre los ojos y esfuércese en retener la imagen de la llama con el máximo detalle posible: evite que su mente se distraiga. Si la imagen empieza a hacerse borrosa, abra los ojos y contemple la llama brevemente para reforzar la imagen mental, y a continuación reanude la práctica. A medida que mejore su concentración, prolongue el tiempo de práctica.

DEPURAR LA MENTE Y EL CUERPO Realizar *tratak* hace que los ojos lloren y así se limpien los conductos lagrimales. Al igual que el *kapalabhati* (véase pág. 83), se considera una de las seis prácticas purificadores tradicionales del yoga, conocidas colectivamente como *kriyas*. Tras dirigir su mente hacia un punto concreto ya se puede avanzar hacia la séptima rama del yoga, la meditación.

La meditación

La meditación se describe a veces como «el espacio entre dos pensamientos» porque aporta una sensación de quietud mental unida a una intensa conciencia de la realidad: la mente está en paz pero muy alerta. Esto distingue el estado de meditación de la inactividad, cuando la mente se limita a vagar.

Sólo cuando sus pensamientos estén calmados y concentrados la mente será capaz de alcanzar el estado de meditación. Esto permite beneficiarse de la sensación de relajación, al tiempo que aporta una mayor percepción y conciencia de la realidad. La práctica correcta despierta una sensación de poder interior, fomenta el rejuvenecimiento físico y emocional y, con el tiempo, puede conducir a un estado de reparación de todo el propio ser. Esto es la absorción o *samadhi*, el objetivo último del yoga.

Entre las numerosas técnicas utilizadas en yoga para concentrar la mente se encuentran la visualización (un viaje imaginario o un proceso narrativo mental), el uso de un estímulo visual como un *yantra* o la llama de una vela (véase pág. 91) y la repetición de una frase o sonido concretos. Esta frase se llama *mantra* y puede ser una afirmación significativa personal o devota, o simplemente una sílaba resonante que se emplea para eliminar progresivamente los ruidos externos que distraen la mente y los pensamientos que la turban.

92

EL SASTRE
Esta postura con las piernas cruzadas es fácil de mantener y es ideal para meditar. Mantiene la columna erguida, los órganos internos en una posición saludable y expande el pecho para respirar profundamente.

ELECCIÓN DEL MANTRA El clásico *mantra* hindú o yóguico es la sílaba sagrada «Om», que se utiliza por su significado como por su referencia a lo absoluto (o dios) y la tranquilizadora resonancia del sonido propiamente dicho. Lo han practicado los yoguis durante miles de años para meditar porque es muy eficaz para aliviar el estrés y la ansiedad, ya que promueve el bienestar emocional, aumenta la conciencia del cuerpo y mejora la capacidad de concentración. Pero existen muchos tipos de *mantra* y no es en absoluto obligatorio recurrir a una frase devota tradicional. Muchas personas se sienten más cómodas repitiendo una frase afirmativa con una significación personal para ellas o simplemente un sonido cuya pronunciación les resulte gratificante. Cualquiera de estos *mantras* le ayudará a sintonizar con el estado mental correcto para meditar.

LA SÍLABA SAGRADA
Om es el mantra clásico del yoga.
Se valora tanto por la riqueza
de su vibración como por su significado
filosófico, que abarca el concepto
de lo absoluto. El carácter sánscrito
que designa *Om* se emplea
a menudo como un *yantra*
para meditar.

CÓMO UTILIZAR UN MANTRA Empiece sentándose de forma cómoda en una postura que pueda mantener sin dificultad durante un tiempo y que le permita respirar profundamente. Puede tumbarse en la postura del cadáver (véase pág. 8) si lo desea, pero permanezca alerta: esta postura puede amodorrarle demasiado para meditar eficazmente. Una postura ideal para la meditación es la *Padmasana*, popularmente conocida como «postura del loto», porque es equilibrada físicamente y mantiene el contacto con la tierra, por lo que estimula un equilibrio similar en la mente. Sin embargo, mantenerla correctamente requiere mucha flexibilidad en las articulaciones. Aunque sus extremidades sean muy elásticas, quizá necesite practicar yoga durante cierto tiempo antes de que sea posible, y más aún cómodo, adoptarla y mantenerla al cabo de varios minutos de meditación. Las alternativas son la postura del medio loto y *Sukhasana*, la postura del sastre (véase pág. 10).

Practique observando su respiración (véanse págs. 90-91) durante varios minutos. Cuando su respiración esté en calma, divida cada espiración en dos mitades. Si utiliza el *mantra* tradicional «Om», articule el sonido «oh» en un tono constante y quedamente audible durante la primera mitad de cada espiración. El sonido debe tener energía y pronunciarse lenta y deliberadamente, sin que se debilite o vacile. En el punto medio de la espiración, cierre los labios para emitir el sonido «mmm» en el mismo tono de voz bajo. No deje que el sonido disminuya de volumen al final de la espiración: escuche y sienta las sensaciones del sonido mientras resuena por su cuerpo. Sin detenerse, inspire lenta y profundamente y siga repitiendo el mantra hasta que ya no requiera un esfuerzo consciente hacerlo.

Con la práctica será capaz de concentrarse mentalmente en un mantra silencioso, aunque al principio es más fácil centrarse pronunciando el sonido en voz alta. Al cabo de unos minutos, abra los ojos, extienda las piernas y descanse unos momentos antes de incorporarse.

Cuerpo sano, mente sana

Una dieta equilibrada complementará perfectamente su práctica de yoga. Los textos yóguicos recalcan que los alimentos que consumimos son tan importantes para la salud como mantenerse físicamente en forma, pues siguiendo una dieta integral nutritiva estamos respetando nuestro cuerpo y garantizando que se encuentre en una situación óptima para servir de base a las actividades de la mente. Por añadidura, alimentado por la energía de los nutrientes, el cuerpo se mantiene sano, elástico y libre de enfermedades.

Una dieta sana y una actitud yóguica hacia los alimentos no sólo hace mucho más fácil practicar las *asanas*, sino que además mejora la salud general con independencia del ejercicio físico realizado. En términos yóguicos, la mejor dieta es, sencillamente, la más natural. Esto significa obtener el sustento de alimentos con la mayor fuerza vital o *prana*. Los alimentos que intervienen en una dieta vegetariana habitual tienen una gran fuerza vital. Los nutrientes obtenidos de comer carne, pescado y pollo se consideran muy inferiores en cuanto a contenido de *prana* respecto a los alimentos naturales, y además se cree que vuelven el cuerpo más rígido.

Según los principios del yoga, el modo en que comemos es tan importante como qué comemos. Así, además de cocinar con alimentos naturales, procure comer despacio, regularmente y en paz; evite también picar entre comidas y comer en exceso.

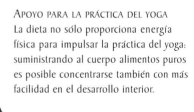

Apoyo para la práctica del yoga
La dieta no sólo proporciona energía física para impulsar la práctica del yoga: suministrando al cuerpo alimentos puros es posible concentrarse también con más facilidad en el desarrollo interior.

94

LOS TRES *GUNAS* En la filosofía del yoga, la energía tiene tres cualidades. Se conocen como *gunas* y constan de *sattvas* o luminosidad, *rajas* o actividad y *tamas* o inercia. Todos nosotros estamos dominados por un *guna* determinado, aunque puede cambiar en distintos períodos de nuestra vida. Nuestro *guna* predominante se refleja en nuestros pensamientos y comportamientos. Por ejemplo, si es usted una persona apática que carece de energía o motivación, el que predomina es *tamas*. Si sufre estrés, vive a un ritmo frenético y le cuesta relajarse, predomina *rajas*. Los practicantes de yoga buscan aumentar en *sattvas*, la forma de energía más pura, que aporta claridad mental y equilibrio emocional, además de tranquilizar y nutrir el cuerpo.

LOS ALIMENTOS SÁTTVICOS
Estos saludables alimentos naturales son los más adecuados para quien practica yoga. Se digieren fácilmente y pasan de forma rápida por nuestro organismo, nutriéndolo y equilibrándolo tanto física como mentalmente.

ALIMENTOS TAMÁSICOS QUE EVITAR *Tamas* está relacionado con la ociosidad, la apatía y la ignorancia. Un exceso de alimentos tamásicos debilita el aparato digestivo y conduce al agotamiento y a emociones negativas como la ira y la codicia. Estos alimentos incluyen la carne, la cebolla, el ajo, el vinagre, el alcohol, el tabaco y las hortalizas demasiado maduras o rancias. Los depresores como el alcohol crean inercia, al igual que el exceso de comida (sobre todo de alimentos muy ricos en proteínas, como la carne, el pescado o los huevos). Los productos conservados artificialmente, rancios, quemados o cultivados sin luz solar (como las setas y las hortalizas de raíz) también se consideran tamásicos y por tanto deberían reducirse al mínimo.

95

LA DIETA SÁTTVICA Este régimen ideal contiene menos impurezas y contaminantes que los demás, y por tanto la mayor fuerza vital o *prana*. Los alimentos sáttvicos incluyen verdura fresca y fruta, legumbres, semillas, frutos secos, cereales integrales, pan integral, pasta, queso, leche, mantequilla, tofu y miel. Una dieta *sáttvica* es esencialmente vegetariana. Los practicantes de yoga rigurosos siguen estas normas dietéticas, pero simplemente proponerse un mejor equilibrio reduciendo los alimentos procesados y comiendo sin excederse puede aportar grandes mejoras a su práctica del yoga. Las *asanas* ayudan a aliviar todos los problemas relacionados con el aparato digestivo y actúan potenciando una buena salud en general.

REDUCIR LOS ALIMENTOS RAJÁSICOS La energía *rajas* produce inquietud mental, distracción y nerviosismo. Como también puede provocar incomodidad física, es un obstáculo para el control corporal requerido para practicar las posturas del yoga. Los alimentos muy estimulantes, como el té y el café, o los muy refinados, como el chocolate y otros productos procesados (como las patatas fritas de bolsa) se consideran rajásicos porque provocan breves descargas de energía seguidas por una caída; aportan calorías de escasa utilidad y sin valor nutritivo. Suprima los alimentos rajásicos con demasiadas especias, amargos, ácidos o salados, así como las hierbas y especias de sabor muy penetrante. Ciertos malos hábitos, como comer en exceso, también se consideran rajásicos, por lo que conviene evitarlos.

Índice de términos